너새니얼 호손 단편집

너새니얼 호손 단편집
Short Stories of Nathaniel Hawthorne

발 행 | 2024. 8. 8
저 자 | 너새니얼 호손
옮긴이 | 우정인
펴낸이 | 한건희
펴낸곳 | 주식회사 부크크
출판사 등록 | 2014.07.15(제2014-16호)
주 소 | 서울 금천구 가산디지털1로 119, A동 305호
전 화 | 1670 - 8316
이메일 | info@bookk.co.kr

ISBN | 979-11-419-5326-3

www.bookk.co.kr

너새니얼 호손 단편집

Short Stories of
Nathaniel Hawthorne

우정인 옮김

목 차

젊은 굿맨 브라운
Young Goodman Brown

젊은 굿맨 브라운은 해 질 무렵 세일럼 마을의 길거리로 나섰다. 하지만 문지방을 나섰다가 다시 고개를 돌려 그의 젊은 아내와 작별 키스를 나누었다. '페이스[1]'라는 이름과 잘 어울리는 아내는 모자에 달린 분홍 리본이 바람에 나부끼는 채 굿맨 브라운이 있는 길 쪽으로 예쁘장한 얼굴을 내밀었다.

"여보,"

그녀는 부드럽지만 살짝 슬픈 목소리로 굿맨 브라운의 귀 가까이에 대고 속삭였다.

"부디 동 틀 때까지만 여정을 미루고 오늘 밤은 당신 침대에서 자요. 혼자 남겨진 여인은 이런저런 상상과 생각들로 심란해져서 가끔은 스

---

1 영어로 '믿음', '신앙'을 의미한다.

스로가 두렵거든요. 한 해의 그 어떤 밤 중에서도 오늘 밤만은 꼭 나와 함께 있어요."

"내 사랑 페이스, 한 해의 어떤 밤보다도 오늘 밤만은 그대와 떨어져 있어야 하오."

젊은 굿맨 브라운이 말했다.

"당신이 말하는 그 여정은 반드시 지금부터 동이 트기 전 그 사이에 다녀와야 하거든. 상냥하고 어여쁜 나의 아내, 결혼한 지 석 달밖에 안 되었는데 당신은 벌써 나를 의심하는구려."

"그렇다면 신의 가호가 함께 하기를! 무사히 돌아오기를 바라요."

분홍 리본을 한 페이스가 말했다.

"아멘!"

굿맨 브라운이 소리쳤다.

"기도하고 나서 해 질 무렵 침대에 드시오. 그러면 어떤 것도 당신을 해칠 수 없을 것이오."

그렇게 작별한 후 젊은 남자는 계속해서 길을 재촉했다. 그러다 예배당 모퉁이를 돌기 직전 뒤를 돌아, 분홍 리본과는 대비되는 우울한 분위기 속에 아직 자신을 바라보고 있는 페이스를 발견했다.

"가여운 나의 페이스!"

고통스러운 마음으로 그는 생각했다.

"이런 일 따위로 아내를 남겨두고 떠나다니 나는 얼마나 비열한가! 그녀가 꿈에 관해서도 얘기했었지. 생각해보면 꿈에서 마치 오늘 밤 일어날 일에 대해 경고라도 한 듯 아내의 표정이 좋지 않았어. 안 돼,

그런 일을 생각하는 것만으로도 그녀는 죽고 말 거야. 아내는 지상에 내려온 축복받은 천사이니 이 밤만 지나면 그녀의 치맛자락에 매달려 천국으로 따라가야지."

이렇듯 미래에 대한 훌륭한 결의를 다지자 그의 마음은 한결 편해져서 지금의 사악한 목적을 위해 더욱 발걸음을 서두르는 것이었다. 그는 세상에서 가장 음울해 보이는 나무들로 캄캄하게 드리워진 길에 들어섰다. 그런데 나무들이 어찌나 촘촘히 서있는지 좁은 길이 간신히 그 사이를 비집고 기어나가면 즉시 그 뒤를 메꾸어버리는 것이었다. 걷는 동안 그는 굉장히 고독감을 느꼈는데, 그 고독감에는 묘한 구석이 있었다. 수많은 나무 기둥과 빽빽이 드리운 나뭇가지 틈에 누가 숨어있을지 알 수 없기 때문이었다. 어쩌면 그 외로운 발걸음 속에서 나그네는 보이지 않는 수많은 사람들 속을 통과하고 있는지도 몰랐다.

"나무 뒤마다 악마 같은 인디언들이 숨어있는지도 몰라."

굿맨 브라운은 혼잣말을 하며 두려운 듯 뒤돌아보고는 덧붙였다.

"혹시 악마가 내 바로 곁에 있으면 어떡하지?"

그는 뒤돌아보는 채로 굽은 길을 지났다. 그리고 다시 앞을 보았을 때, 엄숙하고 품위 있는 옷차림의 한 남자가 늙은 나무 밑에 앉아 있는 것을 보았다. 굿맨 브라운이 다가오자 남자는 몸을 일으키더니 그와 함께 나란히 걷기 시작했다.

"자네는 늦었어, 굿맨 브라운. 딱 15분 전에 내가 보스턴을 지나올 때 이미 올드사우스 집회소의 시계종이 울렸으니 말이야.[2]"

---

2 보스턴에서 세일럼까지는 약 25km의 먼 거리로, 남자가 초능력을 지녔음을 알 수 있다.

그 남자가 말했다.

"페이스 때문에 잠시 지체했습니다."

비록 전혀 예상하지 못한 건 아니지만, 갑작스러운 길동무의 등장에 살짝 떨리는 목소리로 굿맨 브라운이 대답했다.

숲에는 이제 깊은 어둠이 깔렸고, 두 사람은 가장 깊은 숲속을 지나고 있었다. 최대한 분별해보건대 그 두 번째 나그네의 나이는 오십쯤 되어 보였고, 신분은 굿맨 브라운과 비슷해 보였다. 게다가 둘은 얼굴 생김새보다는 표정이 상당히 닮긴 했지만 그래도 아버지와 아들처럼 보일 터였다. 단, 그 늙은 남자는 굿맨처럼 단순한 옷차림과 태도에도 불구하고 마치 세상사를 꿰뚫어보는 듯한 형언할 수 없는 분위기를 풍겼다. 만약 볼 일이 있어 주지사와의 저녁 만찬이나 윌리엄 왕의 궁정에 간다 해도 전혀 당황하지 않을 것처럼 보였다. 하지만 단 하나, 확실히 그에게서 눈길을 끄는 것은 검은 뱀을 닮은 그의 지팡이였다. 기묘하게 만들어져서 마치 살아있는 뱀처럼 몸통을 배배 꼬고 꿈틀거리는 듯했는데, 이는 분명 흐릿한 빛 때문에 일어난 착시 현상일 것이었다.

"이봐, 굿맨 브라운."

그의 길동무가 소리쳤다.

"여행의 시작 치고는 너무 맥 빠진 속도 아닌가. 그렇게 금방 지칠 것 같으면 내 지팡이를 짚게나."

"어르신,"

천천히 걷던 굿맨 브라운이 아예 멈춰선 후 말했다.

"이곳에서 어르신을 만나기로 한 약속을 지켰으니 이제는 제가 출발한 곳으로 돌아가겠습니다. 말씀하신 그 일은 양심의 가책을 느끼게 합니다."

"그렇단 말이지?"

뱀 지팡이를 쥔 남자가 웃음을 거두며 대답했다.

"하지만 일단 걸으면서 생각해보세. 그래도 자네에게 확신을 주지 못한다면 그때는 돌아가도 좋네. 아직 숲속에 들어온 지 얼마 안 되었지 않나."

"이미 너무 멀리 왔어요, 멀리!"

굿맨 브라운은 자기도 모르게 또다시 걷기 시작하며 소리쳤다.

"제 아버지는 이런 일로 이렇게 깊은 숲속까지 들어온 적이 없어요. 할아버지도 마찬가지셨고요. 우리 가문은 순교 시절 이래로 정직하고 선량한 기독교인 혈통을 이어왔습니다. 브라운 가문으로서 이 길에 들어선 것은 제가 처음일 겁니다. 그리고 ─ "

"이런 길동무도 처음이라고 하겠지,"

늙은 남자가 끊긴 말을 간파하며 말했다.

"말 한 번 잘 했네, 굿맨 브라운! 나는 그 어떤 청교도 가문보다도 자네 가문을 잘 알고 있지. 그냥 하는 말이 아닐세. 경관이었던 자네 할아버지가 세일럼의 길거리에서 퀘이커교의 여신도를 채찍질할 때 내가 도왔었네. 필립 왕의 전쟁[3]에서 자네 아버지가 인디언 마을에 불을 지를 때, 우리 집 화로에서 불 붙인 소나무 마디를 갖다주기도 했고 말

―――――
3 영국군과 인디언 사이에 일어난 전쟁을 의미한다.

이야. 두 사람 모두 나의 친한 친구였네. 우리는 자주 이 길을 즐겁게 거닐고 새벽에 기쁜 마음으로 집에 돌아가곤 했지. 그들을 위해서라면 기꺼이 자네의 친구가 되어줄 수도 있네."

"그 말씀이 맞다면 그분들이 지금까지 그에 관해 전혀 언급한 적이 없다는 게 놀랍군요. 아니 조금이라도 그 비슷한 소문이 있었다면 그분들이 뉴잉글랜드에서 추방되고도 남았을 테니 놀라울 것도 없죠. 우리 가문은 독실한데다 선행을 베풀고 그런 사악함 따위는 용인하지 않으니까요."

"사악하든 아니든 나는 이 뉴잉글랜드 지역에 알고 지내는 사람이 아주 많아."

배배 꼬인 지팡이의 여행객이 말했다.

"수많은 교회의 집사들이 나와 성찬식 포도주를 마셨고, 여러 마을의 의원들이 나를 의장으로 삼았지. 그리고 매사추세츠 의원 대부분이 나를 절대적으로 지지한다네. 주지사와 나 또한 ─ 하지만 이것은 국가 기밀 급이라 말할 수 없네."

"아니, 그게 사실입니까?"

굿맨 브라운은 일말의 동요도 없이 말하는 남자를 놀라 쳐다보며 소리쳤다.

"하지만 나는 주지사나 의회 따위와는 아무 상관이 없습니다. 그들이 사는 방식이 어떻든 나 같은 일개 농사꾼과는 다르니까요. 하지만 당신과 동행한다면 앞으로 내가 세일럼의 그 훌륭하신 목사님의 눈을 어떻게 마주할 수 있겠습니까? 안식일과 설교일에 목사님의 목소리는 저를 두려움에 떨게 하겠죠."

줄곧 엄숙한 태도로 말을 듣고 있던 노인은 갑자기 주체할 수 없다는 듯 폭소를 터뜨렸다. 어찌나 몸이 격하게 흔들리는지 뱀 지팡이마저 꿈틀대며 동조하는 것처럼 보일 지경이었다.

"하하하!"

그는 몇 번이고 큰 소리로 웃더니 평정심을 되찾고는 말했다.

"계속하게, 굿맨 브라운. 하지만 나를 웃겨 죽이지는 말게."

"그렇다면 곧장 이야기를 끝내도록 하지요."

굿맨 브라운이 상당히 화가 난 채로 말했다.

"제 아내 페이스 때문입니다. 이 일을 알면 그녀의 자그만 심장은 찢어지고 말 겁니다. 그럴 바엔 차라리 내 심장이 찢기는 게 나아요."

"그런 이유라면 그냥 자네 갈 길을 가게, 굿맨 브라운. 우리 앞에서 절뚝거리는 저 늙은 여자 같은 사람 스무 명이 해를 입는다 해도 페이스는 그렇지 않을 걸세."

그는 그렇게 말하면서 앞서가는 한 여성을 지팡이로 가리켰다. 굿맨 브라운은 그녀가 자신이 어릴 때 교리문답을 가르쳐주었으며, 지금까지도 목사 및 구킨 집사와 함께 자신의 도덕적, 영적 조언자가 되어주는 매우 독실하고 모범적인 여인임을 알아보았다.

"해질녘에 그것도 이렇게 깊은 숲속에서 구디 클로이스를 보다니 참 놀랍군요. 하지만 어르신이 허락한다면 이 신실한 부인을 앞지를 수 있게 숲을 질러 가면 어떨까 하는데요. 부인은 어르신을 모르니 나에게 누구와 동행하는 건지, 어디로 가는지 물어볼 테니까요."

굿맨 브라운이 말했다.

"그렇게 하게."

그의 길동무가 말했다.

"숲을 질러 가게나, 나는 가던 대로 갈 테니."

젊은 남자는 돌아섰다가, 그의 동지가 늙은 여인에게로 부드럽게 나아가 지팡이 하나 거리만큼 접근하는 모습을 지켜보았다. 그녀는 나이든 여인치고는 빠른 속도로 열심히 길을 가며 무언가 불확실한 말을 중얼거리고 있었는데, 그것은 기도임에 틀림없었다.

늙은 나그네는 지팡이를 뻗어 뱀의 꼬리 같은 부위로 그녀의 쭈글쭈글한 목을 툭 건드렸다.

"이 악마!"

독실한 늙은 부인이 소리쳤다.

"그 말은 구디 클로이스가 옛 친구를 알아본다는 뜻이겠군."

노인은 그렇게 말하며 비틀린 지팡이에 기대어 여인을 마주보았다.

"아니, 정녕 어르신이 맞으신지요."

선량한 여인이 소리쳤다.

"정말이군요. 나의 옛 친구이자 그 어리석은 젊은이의 할아버지 굿맨 브라운의 모습으로요. 믿으실지 모르겠지만 희한하게도 제 빗자루가 사라져버렸어요. 아직 목숨이 붙어있는 마녀 구디 코리가 훔쳐간 건 아닌지 의심스럽군요. 제가 야생 샐러리즙과 양지꽃, 늑대의 독을 섞어 바르고 있는 도중에 말이에요."

"고운 밀가루와 갓 태어난 아기의 지방도 섞였겠지."

늙은 굿맨 브라운의 모습을 한 노인이 말했다.

"아, 어르신은 제조법을 이미 알고 계시죠."

여자가 깔깔 웃으며 소리쳤다.

"어쨌든 말씀드린 대로 집회에 갈 준비를 다 마쳤는데 타고 갈 말이 없어서 이렇게 걸어가기로 결정했어요. 오늘 밤 모임에 멋진 청년이 하나 온다고 해서요. 하지만 어르신이 팔을 한 번만 빌려주셔도 그곳에 눈 깜짝할 새 도착할 텐데요."

"그건 좀 힘들겠네. 팔을 빌려줄 수는 없지만 지팡이라도 괜찮다면 여기 있네, 구디 클로이스."

그녀의 동지가 말했다.

그렇게 말하며 남자는 그녀의 발밑에 지팡이를 던졌다. 그러자 그것은 마치 옛날에 그 주인이 이집트 마술사에게 빌려주었던 막대기처럼 살아 움직이는 듯했다.[4] 그러나 굿맨 브라운은 그 사실을 알아차리지 못했다. 그가 놀라서 위를 쳐다보았다가 다시 시선을 아래로 향했을 때는 구디 클로이스도, 구불구불한 지팡이도 사라지고 단지 동료 나그네만이 아무 일도 없었다는 듯 조용히 그를 기다리고 있었다.

"저 늙은 여자가 나에게 교리문답을 가르쳤다구요."

굿맨 브라운의 그 말 한마디에는 참으로 많은 의미가 담겨 있었다.

그들은 다시 걷기 시작했는데, 늙은 나그네는 자신의 길동무에게 더 빠르고 끈기 있게 걸을 것을 권유했다. 그의 의도는 너무나 적절하게 발화된 나머지 그에게서 나온 것이라기보다 듣는 사람의 마음속에서

---

4 구약 출애굽기 7장의 내용을 빗댄 부분이다.

솟아오르는 듯했다. 가는 도중 그는 지팡이로 쓰기 위해 단풍나무 가지를 꺾어 저녁 이슬에 젖은 잔가지들을 벗겨내기 시작했다. 그런데 그의 손가락이 가지들에 닿는 순간, 이상하게도 그것들은 한 주 내내 햇볕에 말린 것마냥 시들고 메말라버리는 것이었다. 그렇게 두 사람은 가볍게 발걸음을 이어갔다. 그러다 어느 음침한 분지에 다다르자 갑자기 굿맨 브라운은 나무 그루터기에 털썩 주저앉더니 더 이상 가기를 거부하는 것이었다.

"어르신,"

그가 결연히 말했다.

"저는 결심했습니다. 이 일을 위해서는 더 이상 한 발자국도 떼지 않겠어요. 천국에 갈 것으로만 알았던 그 끔찍한 노파가 악마에게 가기로 선택한다면, 그게 나의 사랑하는 페이스를 버리고 그 여자를 따라가야 할 이유가 됩니까?"

"점차 생각이 나아질 걸세."

노인이 침착하게 말했다.

"앉아서 좀 쉬게. 그러다 움직일 생각이 들거든 내 지팡이의 도움을 받게나."

그는 더 이상의 말 없이 길동무에게 단풍나무 지팡이를 던져주고는, 점차 깊어지는 어둠 속으로 빨려들어간 듯 금세 시야에서 사라졌다. 젊은이는 길가에 얼마간 앉아서 스스로를 크게 칭찬했다. 이제 아침 산책에서 목사와 마주쳐도 양심에 거리낄 것이 없고, 선한 구킨 집사의 시선에 움츠러들 필요도 없었다. 타락하여 보낼 뻔했지만 이제 페이스의 품 안에서 순수하고 달콤하게 보낼 그날 밤의 잠은 얼마나 편안할지! 이렇듯 기분 좋고 갸륵한 사색에 빠져있던 중, 굿맨 브라운은 길을 달려오는 말발굽 소리를 들었다. 그러고는 자신을 여기까지 이끌었지만 지금은 다행히 포기한 원래의 목적에 죄책감이 느껴져 숲속으로 숨는 게 낫겠다고 판단했다.

말발굽 소리와 함께 말을 탄 두 사람이 다가오며 나이 든 엄숙한 목소리로 점잖게 대화를 나누는 소리가 들려왔다. 그 소리들은 젊은이가 숨어있는 곳으로부터 몇 미터 정도 떨어진 길을 지나며 나는 듯했다. 하지만 그곳의 어둠이 너무 깊은 나머지 여행객과 말 모두 보이지 않았다. 그들의 형체가 길가의 나뭇가지들을 스치며 지나갔지만, 그들이 지나왔을 환한 하늘 조각에서 잠깐이나마 희미한 빛 한 줄기조차 훔치지 못한 듯 아무것도 보이지 않았다. 굿맨 브라운은 잔가지들을 제치고 고개를 앞으로 쭉 뻗은 채, 쭈그리고 앉았다가 발끝으로 섰다가를 번갈아 하였지만 그들의 그림자조차 볼 수 없었다. 굿맨 브라운은 절대적으로 그럴 리 없다고 믿었던 목사와 구킨 집사가 목소리의 주인공임을 깨닫고는 더욱 애가 탔다. 그들은 여느 성직 서임식 혹은 성직자 회의에 갈 때처럼 평온하게 천천히 달리는 중이었는데, 아직 목소리가 들리는 거리에서 한 사람이 나뭇가지를 꺾기 위해 멈춰 섰다.

"성직 서임식 만찬과 오늘 밤 모임 중에서 차라리 만찬에 빠지는 게 낫겠어요, 목사님,"

집사처럼 보이는 목소리가 말했다.

"사람들이 말하길 우리 교인들이 팰머스와 그 너머에서, 또 코네티

컷 주와 로드아일랜드 주에서도 올 거라는 군요. 그 밖에 인디언 주술사들도 오는데 우리 중 가장 뛰어난 사람 못지않게 자기네들 방식대로 제법 많은 악마의 마술들을 알고 있다는 군요. 게다가 아리따운 젊은 아가씨 하나도 모임에 올 거라고 하고요."

"그것 참 잘 됐구려, 구킨 집사!"

경건하고 나이 든 목소리의 목사가 말했다.

"더 속도를 냅시다. 안 그러면 늦겠소. 알다시피 내가 도착하기 전까지는 아무것도 할 수 없을 테니 말이오."

말발굽 소리가 다시 다그닥거리더니 허공 속에서 기이하게 대화를 나누던 목소리가 숲속으로 사라져갔다. 어떤 교회도 집회를 열거나 어떤 신도도 기도한 적이 없는 곳으로. 그렇다면 이 성스러운 자들은 도대체 이교도의 황무지 깊숙이 어디로 갈 수 있단 말인가? 젊은 굿맨 브라운은 극심한 실의로 그만 정신이 희미해지고 마음이 무거워져 땅에 맥없이 쓰러지려는 것을 나무를 짚고 버티어 섰다. 그는 저 위에 천국이라는 게 실제로 있기는 한지 의심하며 하늘을 올려다보았다. 하지만 아직까지 푸른 호 모양의 하늘에는 별이 반짝이고 있었다.

"위에는 천국이, 아래에는 페이스가 있으니 나는 여전히 악에 굳게 맞서 싸울 것이야!"

굿맨 브라운이 부르짖었다.

그가 호 모양의 깊은 창공을 여전히 올려다보며 기도하기 위해 손을 들어올릴 때였다. 바람도 없는데 난데없이 구름이 하늘을 가로질러 오더니 밝게 빛나는 별들을 가리는 것이었다. 아직 파란 하늘이 보이긴 했지만, 그의 머리 바로 위에서는 그 검은 먹구름 덩어리가 빠른 속도로 북쪽을 향해 움직이고 있었다. 그러고는 마치 구름 깊은 곳에서부터 나는 듯한 알 수 없는 미심쩍은 목소리들이 허공 높이에서 들려왔다. 처음에 굿맨 브라운은 그 소리에서 남자와 여자, 신실한 자와 불경한 자 할 것 없이 마을 사람들의 목소리를 알아들은 것 같은 환상에 사로잡혔다. 그중 대부분이 성찬식 식탁에서 만났거나 혹은 선술집에서 떠들던 자들이었다. 그러나 소리가 너무 흐릿해서, 다음 순간 굿맨 브라운은 그것이 마치 오래된 숲이 바람도 없이 속삭이는 소리는 아닌가 생각했다. 그러더니 낮에 세일럼 마을에서 매일같이 들렸지만 지금까지, 밤중의 구름 속에서는 들려올 리 없는 그 익숙한 목소리들이 한층 강렬하게 들려왔다. 그중에는 젊은 여인의 목소리도 있었는데, 알 수 없는 슬픔이 담긴 탄식을 중얼거리며 어떤 고통스러운 간청을 하는 듯했다. 그리고 성자와 죄인을 포함해 보이지 않는 군중 모두가 그녀를 앞에 나서도록 부추기는 것 같았다.

"페이스!"

굿맨 브라운이 고통과 절망에 찬 목소리로 부르짖었다. 그러자 마치 혼란에 빠진 비참한 무리들이 온 황야를 누비며 그녀를 찾듯 숲의 메아리가 그를 비웃으며 "페이스! 페이스!"하고 따라 외치는 것이었다.

슬픔과 분노, 공포에 찬 울부짖음이 밤의 적막함을 여전히 꿰뚫는 동안 불행한 남편은 숨죽여 그에 대한 응답을 기다렸다. 어두운 구름이 사라지고 굿맨 브라운의 머리 위로 깨끗하고 고요한 하늘이 다시 모습을 드러냈을 즈음, 어떤 비명 소리가 들리더니 곧 더 큰 웅얼거림에 묻혀 아득한 웃음소리 속으로 사라져갔다. 그때 무언가가 허공에서 하늘하늘 내려와 나뭇가지에 걸렸다. 굿맨 브라운이 그것을 붙잡아보니 분홍 리본이었다.

"나의 페이스가 떠나버렸어!"

잠시 멍하니 있던 그는 울부짖었다.

"더 이상 지상에 선은 없고 죄는 이름뿐이 되어버렸구나. 악마여 오너라, 이제 세상을 네 손에 넣었으니!"

그는 절망에 미쳐 한참을 큰 소리로 웃은 후 지팡이를 짚고 다시 길을 나섰는데, 걷거나 달린다기보다는 마치 숲길을 날아가는 듯이 빠른 속도였다. 길은 점점 더 거칠고 황량해졌으며 흔적이 희미해지더니 마침내는 사라져버렸다. 그는 어두운 황무지의 한복판에 남겨졌으나 인간을 악으로 인도하는 충동에 사로잡혀 계속해서 서둘러 나아갔다. 나무가 삐걱거리는 소리, 짐승들이 울부짖는 소리, 인디언들이 고함치는 소리 등 숲 전체가 소름끼치는 소리들로 가득했다. 때때로 바람 소리가 멀리 떨어진 교회의 종소리처럼 울리기도 하고, 온 자연이 그를 비웃는다는 듯 사방에서 큰 소리로 아우성치기도 했다. 하지만 그러한 광경에서 굿맨 브라운은 스스로가 가장 공포스러운 존재였으며 다른 어떤 공포에도 움츠러들지 않았다.

"하하하!"

바람이 그를 비웃자 굿맨 브라운 또한 큰 소리로 웃었다.

"누가 가장 크게 웃는지 한번 보자꾸나. 너의 요망한 마술 따위로 나를 놀라게 할 생각도 마라. 마녀여, 마법사여, 인디언 주술사여 나오너라, 그리고 악마 너 자신도 나오너라. 여기 굿맨 브라운이 간다. 그가 네 놈들을 두려워하는 만큼 네 놈들도 그가 두려울 것이다."

사실 귀신에 씐 숲 전체에서 굿맨 브라운의 형상만큼 소름끼치는 것은 없었다. 검은 소나무들 사이를 날아다니며 광기 어린 동작으로 지팡이를 휘두르고, 이제는 끔찍하고 불경스러운 기운을 내뿜으며 악마가 그를 둘러싸고 웃어대듯 온 숲을 메아리치게 하는 그런 웃음소리를 내지르는 것이었다. 악마는 그 자체의 모습보다도 인간의 가슴 속에서 분노하여 날뛸 때 더욱 흉측해 보이는 법이다. 악마가 들린 그는 더욱 속도를 내다가, 나무들 사이에서 흔들리며 타오르는 붉은 불빛이 보이는 곳에 이르렀다. 그 불빛은 빈터의 쓰러진 나무 몸통과 가지들에 불이 붙어 그 번쩍이는 불길이 한밤중의 하늘로 솟구치는 듯한 형상이었다. 그를 계속해서 몰아가던 폭풍 같은 광기가 수그러들자, 그는 잠시 멈추어서 여러 목소리가 실린 찬송가 같은 소리가 멀리서부터 경건하게 울리며 점차 커져가는 것을 들었다. 그 선율은 귀에 익었는데, 바로 마을 예배당 성가대의 친숙한 목소리였다. 곡조가 점차 침체되면서 인간의 목소리가 아닌 밤의 황무지의 온갖 소리들이 끔찍한 화음을 이루며 울려퍼지는 합창이 이어졌다. 굿맨 브라운은 울부짖었지만 그 소리는 불모지의 소리와 하나가 되어 자신의 귀에조차 들리지 않았다.

잠시 고요함이 찾아오자, 그는 눈에 불빛이 한가득 비칠 때까지 살금살금 나아갔다. 숲이 어두운 벽처럼 둘러싼 공터의 한쪽 끝자락에는 바위 하나가 투박한 자연의 모습 그대로 제단 혹은 설교단처럼 솟아있었다. 그것은 야간 예배 때의 촛불처럼, 줄기는 멀쩡한 채 꼭대기만 불타고 있는 네 그루의 소나무에 둘러싸여 있었다. 바위 꼭대기에 드리운 무성한 나무 이파리에도 전부 불이 붙어 그 불길이 밤하늘 높이 타올라 깜박이며 공터 전체를 밝히고 있었다. 또한 늘어진 가지들과 이파리 줄기들도 온통 불타고 있었다. 붉은 빛이 너울거리는 가운데 수많은 군중의 모습이 드러났다가 사라지고, 또다시 어둠 속에서 나타날 때마다 고독한 숲의 한복판을 계속해서 메워갔다.

"엄숙하고 점잖게들 차려 입었군."

굿맨 브라운이 중얼거렸다.

그것은 사실이었다. 빛이 어두워졌다 밝아졌다 하는 가운데 드러나는 모습들 중에는 당장 내일이라도 지방 의회 석상에 나타날 것 같은 얼굴들은 물론, 안식일마다 지상의 가장 성스러운 교단에 서서 하늘을 경건히 올려다보거나 신도들로 붐비는 좌석을 자애롭게 살피던 자들의 얼굴들도 보였다. 몇몇은 주지사 부인도 여기에 왔다고 확신했다. 그게 아니더라도 최소한 주지사 부인과 잘 알고 지낼법한 귀부인들과 명예로운 남편을 둔 부인들, 수많은 과부들과 평판 좋은 노처녀들, 그리고 엄마가 알아챌까 노심초사하는 어여쁜 소녀들까지 와있었다. 어두운 공터를 갑자기 비추는 불빛의 번쩍임에 굿맨 브라운의 넋이 나간 게 아니라면, 그는 세일럼 마을에서 유난히 신실하기로 소문난 교회 신도들을 스무 명 가까이나 알아보았다. 구킨 집사는 이미 도착해서 자신이 존경하는 성스러운 목사의 곁에서 대기하고 있었다. 그런데 불경스럽게도 이렇게나 엄숙하고 명망 있고 독실한 사람들, 교회의 장로들, 정숙한 여인들, 청초한 처녀들이 아주 방탕한 남자들, 불명예로 얼룩진 여자들, 온갖 비열하고 더러운 악행에 빠진 것도 모자라 끔찍한 범죄의 용의자로 의심받는 천박한 인간들과 함께 어울리고 있었던 것이다. 이렇듯 선한 사람이 악인을 꺼리지 않고, 죄인 또한 성자 앞에서 부끄러워하지 않는 상황은 이상하기 짝이 없었다. 그 어떤 영국의 요술보다도 무시무시한 주술로써 자신들의 근거지인 숲을 공포에 빠뜨리는 인디언 주술사들 또한 자신들의 적군인 백인들과 여기저기 뒤섞여 있었다.

"그런데 페이스는 어디 있는 거지?"

굿맨 브라운은 생각했다. 그리고 마음속에 한 줄기 희망이 비치자 그는 전율했다.

그때 또 다른 찬송가가 시작되었다. 경건한 사랑처럼 느리고 슬픈 선율이었지만 우리의 본성이 상상할 수 있는 모든 죄악, 아니 그 이상을 어둡게 암시하는 내용이었다. 악마들의 교리는 한낱 인간이 이해할 수 없는 법이다. 노래는 계속 이어졌고, 황야의 합창은 마치 웅장한 오르간의 가장 낮은 소리처럼 사이를 두고 점점 커졌다. 그리고 그 끔찍한 찬송가가 마지막으로 울려퍼지면서 바람의 고함 소리, 세찬 시냇물 소리, 짐승의 울음소리, 그 밖에 각기 다른 야생의 소리들이 만물의 왕에 경배하는 죄인들의 목소리와 뒤섞이고 합쳐지는 듯한 소리가 들려왔다. 불타는 네 개의 소나무 기둥에서 불길이 더 높이 치솟으며 불경한 무리 위로 내뿜는 연기의 화환이 무시무시한 형상과 얼굴들을 어렴풋이 드러냈다. 동시에 바위에 붙은 불이 시뻘겋게 불거져나오며 제단 위로 이글거리는 아치 구조를 만들더니 그 속에서 한 형체가 등장했다. 그것은 아무리 경건하게 말하려 해도 의복으로 보나 태도로 보나 뉴잉글랜드 교회의 엄숙한 성직자들과는 전혀 거리가 멀었다.

"개종한 이들을 데리고 나오라!"

그렇게 외치는 목소리가 벌판에 메아리치며 숲속으로 퍼져나갔다.

그 말에 굿맨 브라운은 나무 그늘에서 빠져나와 무리에게로 다가갔다. 그리고 자신 안에 있는 온갖 사악함으로써 그들에게 공감하며 혐오스러운 동족 의식을 느꼈다. 그때, 거의 확신하건대 죽은 아버지의 형체가 연기의 화환으로부터 자신을 내려다보며 앞으로 나가라고 손짓했다. 반면 절망에 가득 찬 희미한 얼굴의 한 여인은 손을 뻗어 다시 돌아가라고 경고했다. 과연 그 여인은 어머니란 말인가? 하지만 그는 그저 생각 속에서라도 한 발자국도 뒤로 물러서거나 저항할 힘이 없었다. 그때 목사와 구킨 집사가 그의 팔을 붙잡고는 불타는 바위 쪽으로 이끌어 갔다. 그리고 베일을 쓴 한 가녀린 여인 또한 경건한 교리문답 선생인 구디 클로이스와, 악마에게 지옥의 여왕이 될 것을 약속받은 마샤 캐리어의 인도를 받아 그쪽으로 다가왔다. 마샤 캐리어라는 여자는 그야말로 광포한 마귀할멈이었다. 그리하여 높이 타오르는 불의 지붕 아래 변절자들이 늘어섰다.

"나의 자녀들아,"

어두운 형체가 말했다.

"너희 형제 자매들의 모임에 온 것을 환영한다. 이토록 일찍이 너희는 자신의 본성과 운명을 찾은 것이다. 자녀들아, 뒤를 돌아보아라!"

그들이 뒤돌아보자, 거대한 불길에 갑자기 훤히 드러나듯 악마의 숭배자들의 모습이 보였다. 그들의 얼굴에는 환영의 웃음이 어둡게 비치고 있었다.

"저기에 너희들이 어릴 적부터 존경해온 자들이 있다."

어두운 형체가 말을 이었다.

"너희는 저들을 자신보다 신성히 여기며 스스로의 죄에 움츠러들고는 했을 것이다. 그 죄를 저들의 올바르고 천국을 향한 신실한 열망을 지닌 삶과 비교하면서 말이다. 그러나 지금 저들은 나의 숭배 모임에 와 있다. 오늘 밤 너희는 저들의 비밀을 알게 될 것이다. 백발 수염의 교회 원로들이 집안의 젊은 하녀들에게 어떤 부정한 말을 속삭이는지, 얼마나 많은 여자들이 미망인의 상복을 입고자 잠잘 시간 남편에게 마실 것을 주어 자신의 품에서 영영 잠들게 하는지, 풋내기 젊은이들이 아버지의 유산을 물려받고 싶어 얼마나 동동거리는지, 어여쁜 처녀들이 − 부끄러워 마라, 귀여운 것들 − 어떻게 마당에 작은 무덤을 파고 갓난아기의 장례식에 나를 유일한 손님으로 초대하는지. 너희는 죄악에 대한 인간적인 공감으로 교회든, 침실이든, 길거리든, 들판이든, 혹은 숲속이든 범죄가 벌어지는 곳이면 어디서든 그 낌새를 맡고 알아차릴 것이다. 그리고 이 세상이 단지 죄악의 얼룩 한 점이자 하나의 큰 핏자국임을 보며 기뻐하게 될 것이다. 그뿐 아니라 너희는 모두의 가슴 속 죄악의 깊은 신비를, 인간의 힘, 아니 나의 힘을 최대로 끌어모아도 행동으로 발현시킬 수 없을 그런 악랄한 충동들을 끊임없이 공급하는 사악한 술수의 원천을 꿰뚫어보게 될 것이다. 자녀들아, 이제 서로를 바라보아라."

따라서 그들은 서로를 바라보았다. 그리고 지옥불이 붙은 횟대의 번쩍이는 불길 옆에서 가엾은 젊은이는 그의 아내 페이스를, 아내는 자신의 남편을, 불경스러운 제단 앞에서 떨며 마주보았던 것이다.

"그래, 거기 서있구나, 나의 자녀들아."

그 형상이 깊고 엄숙한 어조로 말했는데, 그 절망적인 끔찍함에 슬픔마저 느껴질 정도였다. 한때는 천사 같았던 그것의 본성이 비참한 인간 종족을 아직 애도할 수 있기라도 하듯이.

"너희는 지금까지 서로의 마음에 기대어 미덕이 전혀 꿈만은 아니라고 희망해 왔을 것이다. 하지만 이제 너희는 속임수에서 벗어났다. 악이야말로 인간의 본성이며 너희의 유일한 행복인 것이다. 자녀들아, 다시 한번 너희 종족의 모임에 온 것을 환영한다."

"환영하오."

악마의 숭배자들이 절망과 승리감이 뒤섞인 목소리로 따라 외쳤다.

단 한 쌍, 굿맨 브라운 부부만이 이 어두운 세계의 사악함의 문턱에서 아직 망설이는 듯이 우두커니 서 있었다. 바위 안에는 자연적으로 움푹 파인 구덩이가 있었다. 거기에 담긴 것은 불빛에 벌게진 물일까, 피일까, 아니면 액체로 된 불꽃일까? 그 악의 형상은 거기에 손을 담그고, 그들이 행동에서든 생각에서든 이제 자신의 숨겨진 죄악보다 타인의 숨겨진 죄악을 더욱 의식하며 죄의 신비에 가담할 수 있도록 그들의 이마에 세례 자국을 남길 준비를 하고 있었다. 남편은 창백한 아내에게, 페이스는 남편에게 눈길을 던졌다. 그 다음 눈길에서 그들은 자신들이 밝혀내고 본 것에 몸서리를 치며 서로에게 얼마나 타락한 모습을 보여주게 될 것인가!

"페이스! 페이스!"

남편이 소리쳤다.

"하늘을 올려다보시오, 그리고 사악함에 저항하시오."

페이스가 자신의 말을 따랐는지 그는 알 수 없었다. 말을 끝마치자마자 고요한 밤의 고독 속에 남겨져 숲속으로 무겁게 사라져가는 바람의 포효 소리를 듣는 자신을 발견했던 것이다. 그는 비틀거리며 바위에 몸을 기댔다. 바위는 차갑고 습했다. 계속해서 불타고 있던 늘어진 가지가 이제는 세상에서 가장 차가운 이슬로 그의 뺨을 적셨다.

다음 날 아침, 젊은 굿맨 브라운은 얼빠진 사람처럼 주위를 살피며 천천히 세일럼 마을의 길거리로 들어섰다. 선량한 목사는 아침 식욕도 돋울 겸 설교할 말을 묵상하고자 공동묘지 부근을 산책하다가 굿맨 브라운을 지나치며 축복을 건넸다. 하지만 그는 그 성자가 매우 혐오스러운 어떤 것이라도 되는 양 몸을 피하는 것이었다. 구킨 집사는 집에서 예배 중이었는데, 그의 성스러운 기도 소리가 열린 창 너머로 들려왔다.

"저 마법사는 대체 어떤 신에게 기도하고 있는 것인가?"

굿맨 브라운이 중얼거렸다.

훌륭한 기독교 신자인 구디 클로이스는 이른 햇살을 받으며 자기 집 창가에 서서 아침 우유 한 파인트를 가져온 어린 소녀에게 교리문답을 가르치고 있었다. 굿맨 브라운은 그 아이를 마치 악귀의 손아귀에서 빼내듯 낚아챘다. 예배당 모퉁이를 돌며 그는 분홍 리본을 맨 채 걱정스레 앞을 내다보는 페이스의 머리를 보았다. 그녀는 굿맨 브라운을 발견하고는 너무 기쁨에 겨운 나머지 길을 깡총깡총 뛰어와 온 마을 사람들 앞에서 남편에게 키스하려고 했다. 하지만 굿맨 브라운은 단호하면서도 슬픈 눈길로 그녀를 쳐다보더니 인사도 없이 그냥 지나치는 것이었다.

지금껏 굿맨 브라운은 숲속에서 잠든 채 그저 악귀들이 모이는 고약한 꿈을 꿨을 뿐일까?

그렇다고 하자. 하지만 아아, 그 꿈은 젊은 굿맨 브라운에게 아주 흉악한 징조였다. 그 끔찍한 꿈을 꾼 밤 이후로 그는 완전히 절망적인 인간, 그게 아니라면 적어도 심각하고 슬픔과 어두운 사색에 빠진 회의적인 인간이 되어버린 것이다. 안식일에 교회 모임에서 성스러운 찬송가를 불러도 굿맨 브라운은 그것을 제대로 들을 수가 없었다. 죄악의 성가가 시끄럽게 귀를 덮쳐와 축복의 선율을 모두 삼켜버렸기 때문이다. 단상 위에서 목사가 펼쳐진 성경 위에 손을 얹은 채 힘차고 열렬한 언변으로써 기독교의 신성한 진리들, 성스러운 삶과 영예로운 죽음들, 그리고 미래의 축복이나 말로 할 수 없는 불행들에 관해 설교할 때, 굿맨 브라운은 혹시나 그 불경스러운 자와 그 말을 듣는 신도들의 머리 위로 지붕이 쾅 내려앉지는 않을까 두려워 얼굴이 창백해지는 것이었다. 종종 한밤중에 갑자기 잠에서 깰 때도 그는 페이스의 품을 피했다. 그리고 아침이나 저녁에 가족들이 무릎을 꿇고 기도하면 그 모습을 노려보면서 혼자 투덜거리고, 아내를 차갑게 바라보다가 이내 외면하는 것이었다. 그렇게 그가 오랜 삶을 마치고 백발의 시체가 되어 묘지에 묻힐 때, 적지 않은 이웃들과 나이 든 페이스, 자식들, 손주들까지 꽤 많은 행렬이 뒤를 따랐지만 누구도 그의 묘비에 희망적인 구절 하나 새기지 않았다. 그의 임종의 순간이 너무나 암울했기 때문이었다.

웨이크필드
Wakefield

어떤 오래된 잡지 혹은 신문에 실화로 실렸던, 아내를 오랫동안 떠나있었던 한 남자 ─ 그를 웨이크필드라 부르자 ─ 의 이야기를 기억한다. 방금 대강 언급한 이 사건은 아주 드문 일도 아니며, 상황에 대한 마땅한 분별없이 그저 짓궂거나 말도 안 되는 일로 비난해서는 안 될 것이다. 하지만 그 사건은 결혼의 의무 태만의 역사상 최악은 아닐지라도 가장 기이한 사례일 것이며, 나아가 모든 인간 기행(奇行)의 목록 가운데서도 눈에 띄는 이상한 사례일 것이다. 그 부부는 런던에 살았다. 남자는 여행을 떠나는 척 자신의 집 옆길에 숙소를 구한 후, 스스로 사라질 조금의 이유도 없이 아내나 친구와 단절된 채 그곳에서 이십 년 이상을 홀로 지냈다. 그동안 그는 매일 자신의 집을 바라보았고, 특히 홀로 남겨진 웨이크필드 부인을 자주 쳐다보았다. 행복했던 결혼 생활로부터 한참의 시간이 흐른 어느 저녁 - 그의 죽음이 확실시되고, 재산이 처분되고, 그의 이름이 사람들의 기억에서 사라졌으며, 아내가 이미 오래전 쓸쓸한 과부 팔자에 체념했을 때쯤 - 그는 마치 하루 동안 집을 비운 사람처럼 아무렇지 않게 집에 들어와서는 죽을 때까지 다정한 남편으로 살았다.

이것이 내가 기억하는 이야기의 개요 전부이다. 그 일은 매우 독특하고 전례가 없을뿐더러 앞으로도 두 번 다시 일어나지 않을 테지만, 생각건대 인류의 보편적인 공감에 호소할 만한 일이었다. 우리는 스스로는 그런 어리석은 짓을 저지르지 않을 것을 알면서도 다른 누군가는 그럴 수도 있다고 느끼는 것이다. 적어도 나의 경우는 가끔 그 사건을 떠올릴 때마다 흥미롭고 놀라우면서도 그 일이 틀림없는 진실이라고 느끼며, 그 주인공의 성격에 대해 생각해보게 되는 것이다. 어떤 주제가 마음에 너무도 강렬한 영향을 미칠 때 그것을 생각하는 것은 결코 시간 낭비가 아니다. 만약 독자가 원한다면 스스로 생각해보아도 좋고, 이십 년간의 웨이크필드의 기행을 나와 함께 살펴보길 원한다면 그 또한 환영하는 바이다. 비록 깔끔하게 하나의 결론으로 정리되진 않더라도 어떤 보편적인 정신과 교훈이 있을 것이라고 믿으면서. 생각은 항상 유효하며 그 어떤 충격적인 사건에도 교훈은 있게 마련이다.

웨이크필드는 어떤 사람이었는가? 우리는 나름대로 생각을 정리해서 그것을 마치 웨이크필드인 것처럼 말할 수도 있을 것이다. 그는 당시 삶의 정점에 있었다. 부부간의 애정은 전혀 강렬하지는 않았지만 차분하고 습관적인 감정으로 가라앉은 상태였다. 그는 모든 남편들 가운데서도 가장 한결같은 유형이라 할 수 있었는데, 특유의 굼뜬 성질 덕분에 어떤 상황에서도 마음이 동요하지 않을 수 있었기 때문이다. 그는 지적이었지만 활발한 지성의 소유자는 아니었다. 그의 정신은 어떤 목적 혹은 그 목적을 달성하기 위한 어떤 의욕도 없이 그저 길고 나른한 생각들에 골몰하였다. 그의 생각들은 형언할 정도의 기력조차 거의 띠고 있지 않았다. 웨이크필드는 진정한 의미의 상상력에는 재능이 없었던 것이다. 그런데 차갑지만 타락하거나 방황하지 않는 가슴, 그리고 난폭한 생각에 흥분하거나 독창적인 생각으로 고민해본 적 없는 정신을 지닌 우리의 친구가 괴짜들 중에서도 선두 자리에 나설 줄 누가 알았겠는가? 그의 지인들에게 런던 사람들 중 내일 기억에 남을 만한 일을 오늘 하지 않을 가장 확실한 사람이 누구냐고 묻는다면 그들은 웨이크필드를 떠올렸을 것이다. 단지 그의 친애하는 아내만이 망설였을 것이다. 그녀는 남편의 성격을 분석한 적은 없지만 그의 잔잔한 마음을 좀먹은 조용한 이기심과 더불어 그의 가장 꺼림칙한 특성 중 하나인 독특한 허영심, 그리고 폭로할 가치조차 없는 사소한 비밀들을 지키는 것 외에 달리 긍정적인 영향이 없는 교활한 기질, 마지막으로 남편에게서 가끔 찾아볼 수 있는, 그녀가 약간 기이하다고 말하는 특성에 대해 어느 정도 알고 있었다. 이 마지막 특성은 형언하기 힘든 것이었으며 심지어 존재하지 않을 수도 있었다.

이제 웨이크필드가 아내에게 작별을 고하는 모습을 상상해보자. 때는 땅거미 진 시월의 어느 저녁 무렵이었다. 그의 차림새를 보면 우중충한 갈색 외투, 유포를 씌운 모자, 긴 부츠에 한 손에는 우산과 다른 손에는 작은 여행용 가방을 들고 있었다. 그는 아내에게 야간 마차를 타고 시골에 좀 다녀오겠노라고 했다. 그녀는 여행의 기간과 목적, 돌아올 시기를 묻고 싶었지만 자신의 일을 별다른 이유 없이 말하기 싫어하는 남편을 배려하여 표정으로만 물어볼 따름이었다. 그는 아내에게 돌아오는 마차를 기다리지 말고 서너 일 정도 늦어져도 걱정하지 말라고 당부했다. 하지만 어떤 일이 있어도 금요일 저녁 식사 시간까지는 돌아올 것이라고 했다. 생각건대 웨이크필드 자신조차 앞에 닥칠 일에 대해 어떠한 의심도 없었던 것이다. 그가 손을 내밀자 아내도 손을 내밀고는 십년지기 부부답게 태연히 작별 키스를 받아들였다. 그렇게 중년의 웨이크필드는 집을 일주일 통째로 비워 아내를 당혹케 하기로 거의 마음먹은 채 길을 나섰다. 그의 등 뒤에서 문이 닫힌 후, 아내는 문이 살짝 열린 것을 발견하고 틈새로 남편이 자신을 향해 미소 지은 후 곧장 사라지는 모습을 지켜보았다. 당시에 이 사소한 사건은 더 생각할 것도 없이 잊혔지만, 한참이 지나서 웨이크필드 부인이 그의 아내보다 과부로 지낸 지 더 오래되었을 즈음 남편의 모습을 추억할 때마다 그 미소가 다시금 떠올라 그 위에 아른거리는 것이었다. 수많은 사색 속에서 원래의 그 미소는 그녀의 환상들로 둘러싸여 기묘하고도 끔찍하게 변했는데, 예를 들어 관 속에 누워있는 남편을 상상할 때 그 작별의 미소는 그의 창백한 얼굴에 얼어붙어 있었으며, 남편이 천국에 있는 꿈을 꿀 때 그의 축복받은 영혼은 여전히 그 점잖으면서도 교활한 웃음을 띠는 것이었다. 하지만 그 때문에 그녀는 모두가 남편이 죽었다고 단념했을 때조차 자신이 진정 과부가 맞는지 가끔 의심스러웠다.

하지만 우리의 관심사는 그 남편이다. 빨리 거리를 따라 뒤쫓지 않으면 그는 곧 개성을 잃고 커다란 런던의 삶 속에 녹아들어 그를 찾더라도 허탕을 칠 것이다. 모퉁이를 쓸데없이 여러 번 돌고 또 돌며 그의 뒤를 바싹 따라가다 보면, 우리는 이미 언급했던 자그마한 아파트의 난롯가에 편안히 자리 잡은 그를 발견할 것이다. 자신이 살던 곳 바로 옆의 거리에서 그의 여정은 그렇게 끝난 것이다. 한번은 인파들 때문에 가로등 불빛 한가운데서 시간이 지체된 것과 주변의 수많은 발소리 가운데 뚜렷이 자신의 뒤를 밟는 듯한 어떤 발소리가 들렸던 것, 그리고 곧이어 멀리서 소리치는 어떤 목소리가 마치 자신의 이름을 부른 듯했던 것을 떠올렸을 때, 그는 누구의 눈에도 띄지 않고 숙소에 도착할 정도로 운이 좋았다고는 믿기 어려웠다. 분명 떠들기 좋아하는 여남은 사람들이 그를 지켜본 후 아내에게 모두 고해바쳤을 것이다.

가엾은 웨이크필드! 이 거대한 세상에서 자신이 얼마나 보잘것없는지 그대는 전혀 모르는군. 나 말고 다른 어떤 사람의 눈도 그대의 뒤를 쫓지 않았어. 그러니 어리석은 자여, 조용히 잠자리에 들게. 그리고 그대가 현명하다면 내일 집에 있는 선량한 웨이크필드 부인에게 가서 사실대로 고하게. 아내의 정숙한 마음속 그대의 자리에서 단 일주일도 떠나있지 말게. 만약에 그대가 죽거나 사라졌거나 혹은 영영 자신과 이별했다고 아내가 한시라도 생각하게 되면, 그 후로 그대는 진실한 아내가 변해버린 것을 영원히 비통해하며 살아야 할 걸세. 애정에 틈을 만드는 것은 위험한 일이야 — 그 틈이 오래, 그리고 넓게 벌어져서

가 아니라 순식간에 다시 닫혀버리기 때문이지.

자신의 장난인지 뭔지 모를 행동을 후회하다시피 하며 웨이크필드는 일찍 자리에 누웠다. 그러고는 처음으로 잠깐 잠들었다가 놀라서 깨어난 후, 아직 익숙지 않은 넓고 황량한 침상에 양팔을 뻗고 침구들을 끌어모으며 생각했다.

"안 되겠다, 다음 밤에는 홀로 자지 않겠어."

아침에 그는 평소보다 일찍 일어나서 자신이 진짜로 뭘 하고 싶은지 생각하려 애썼다. 어떤 목적의식을 가지고 이러한 단계를 시작했지만, 그의 사고방식이 너무나 허술하고 산만한 나머지 스스로 깊이 고찰할 만큼 그 목적을 충분히 정의내릴 수 없었다. 모호한 계획과 그것을 실행에 옮기려는 발작적인 노력 모두가 정신이 나약한 인간의 특징인 것이다. 하지만 웨이크필드는 생각들을 가능한 한 세밀하게 가려내어, 자신이 집에서 일어나는 일들의 경과 ― 그의 모범적인 아내가 일주일 동안의 과부 생활을 어떻게 견딜 것인지, 간단히 말해 그가 중심이었던 작은 삶의 반경 속 사람들과 상황들이 자신이 사라짐으로써 어떤 영향을 받았는지를 궁금해한다는 사실을 깨달았다. 따라서 이 사태의 가장 밑바닥에는 병적인 허영심이 깔려있었던 것이다. 하지만 그가 어떻게 목적을 달성할 수 있을 것인가? 비록 집 바로 옆에서 잠에 들고 깼지만 마치 마차를 타고 밤새 빙빙 돈 것처럼 집과 동떨어져있는 효과를 주는 이 편안한 숙소에 계속 숨어있는 식으로는 안 될 것이다. 하지만 그렇다고 그가 다시 모습을 드러내기라도 하면 모든 계획은 수포로 돌아갈 것이다. 그의 보잘것없는 머리는 이러한 진퇴양난에 빠져 가망 없이 난처해졌다. 그러다가 마침내 그는 길을 가로질러 버려진 자신의 집을 재빨리 살펴보기로 거의 마음먹은 채 위험을 무릅쓰고 밖으로 나섰다. 습관은 — 그는 습관의 동물이기에 — 자신도 모르게 문 앞까지 그의 손을 잡아 이끌었고, 바로 그 중대한 순간 그는 자신의 발이 계단을 긁는 소리에 정신이 번쩍 들었다 — 웨이크필드, 너는 대체 어디로 가는 것이냐?

그 순간 그의 운명의 방향은 급작스럽게 바뀌고 있었다. 자신의 첫 뒷걸음질이 가져올 파멸을 생각지도 못한 채 웨이크필드는 지금껏 느낀 적 없는 흥분으로 숨이 가빠져서 서둘러 달아났고, 멀리 떨어진 길모퉁이에서조차 감히 고개를 돌리지 못했다. 아무도 그를 보지 못했을까? 온 집안 식구들이 — 점잖은 웨이크필드 부인, 영리한 하녀와 지저분한 심부름꾼 아이 모두 — 도망치는 가장을 쫓아 런던 거리를 가로지르며 '도둑이야!' 하고 소리치지는 않을까? 참 대단한 탈출극이로군! 그는 용기를 끌어모은 후 마침내 멈춰서 집 쪽을 쳐다보았지만, 익숙했던 집의 모습이 변한 듯한 느낌에 당혹스러웠다. 마치 오랜 친구처럼 함께 지내온 언덕이나 호수, 혹은 예술 작품을 몇 달 혹은 몇 년 만에 다시 보았을 때 우리에게 영향을 주는 그런 종류의 느낌이었다. 보통 이런 형언할 수 없는 느낌이 드는 것은 우리의 불완전한 회상과 현실 사이에 비교와 대조가 일어나기 때문이다. 하지만 웨이크필드의 경우 하룻밤의 마법이 그의 안에 비슷한 변화의 느낌을 일으켰는데, 그 짧은 시간 동안 그에게 매우 큰 도덕적 변화가 일어났기 때문이었다. 하지만 그것은 스스로도 모르는 사실이었다. 자리를 뜨기 전 그는 집

앞 창문을 가로지르며 거리 입구 쪽으로 얼굴을 돌린 아내의 모습을 멀리서 흘끗 보았다. 그러자 이 교활한 얼간이는 아내가 깨알같이 수많은 인파 속에 자신을 분명 포착했을 것이라고 생각하고는 겁에 질려 줄행랑을 쳤다. 마침내 숙소의 난롯가에 도착했을 때, 그는 머리는 다소 어지러웠지만 마음만은 매우 기뻤다.

이 길고 변덕스러운 장난질의 시작에 대해서는 이쯤 얘기하자. 처음 계획을 떠올리고, 웨이크필드의 굼뜬 성질이 그것을 실행에 옮길 정도로 자극받은 후에는 모든 일들이 물 흐르듯 자연스럽게 전개되는 법이다. 우리는 그가 심사숙고 끝에 새 붉은색 가발을 사고, 유태인의 헌옷 보따리에서 평소 그의 갈색 수트 차림과는 다른 잡다한 옷들을 고르는 모습을 상상할 수 있을 것이다. 그렇게 계획은 실행에 옮겨졌고 웨이크필드는 전혀 다른 사람이 된 것이다. 새로운 체계가 자리 잡은 마당에 옛날로 돌아가려는 움직임은 그를 전례 없는 상태에 빠뜨렸던 그 발걸음만큼이나 어려웠다. 게다가 그는 타고난 기질 때문에, 그리고 현재는 아내가 품은 감정이 충분하지 않다는 생각 때문에 때때로 골이 나서 완고해진 상태였다. 그는 그녀가 놀라서 거의 까무러치기 전까지는 집에 돌아가지 않을 것이었다. 두세 번 아내가 그의 눈앞을 지나친 적이 있었는데, 그때마다 그녀의 발걸음은 더욱 무거워졌고 뺨은 더 창백해졌으며 이마에는 근심이 더해갔다. 그가 사라진 지 삼 주째에, 웨이크필드는 집에 들어가는 약제사의 모습에서 불길한 조짐을 감지했다. 다음 날은 대문 문고리의 소리가 나지 않게 막아놓더니 해 질 무렵에는 마차가 와서 큰 가발을 쓴 엄숙한 의사를 집 문간에 내려놓았고, 한 십오 분쯤 지나자 마치 장례식을 예고라도 하듯 그가 다시 나타났다. 아, 사랑하는 여인이여! 그녀가 죽게 될까?

이쯤 되자 웨이크필드는 어떠한 감정의 활력을 느끼고 흥분했지만, 여전히 아내의 침대맡 멀리서 미적거리며 중대한 순간 아내의 심기를 어지럽히면 안 된다고 자신의 양심에 간청하는 것이었다. 양심이 아닌 다른 어떤 것이 그의 발길을 붙잡았다 해도 그게 무엇인지 그는 알지 못했다. 몇 주에 걸쳐 그녀는 차차 건강을 회복했고 위기는 끝이 났다. 그녀의 마음은 아마 슬프면서도 차분해졌을 것이며, 남편이 금방 돌아오든 아니든 앞으로 그에게 어떠한 열정도 느끼지 못할 것이다. 이러한 생각이 그의 혼탁한 머릿속에 가물거렸고, 그는 자신의 숙소와 옛집 사이의 건널 수 없이 깊은 간극을 희미하게나마 의식하는 것이었다. "그래봤자 바로 옆 동네인데." 그는 이렇게 말하곤 했다. 어리석기는! 이제 그곳은 전혀 다른 세상이다. 지금까지 그는 집으로 돌아가는 일을 하루가 멀다 하고 미루어왔고, 앞으로도 돌아갈 시점을 결정하지 않은 채 남겨두었다 ─ 내일은 아니라도 아마 다음 주, 아니면 곧 갈 수도 있는 것이다. 가엾은 인간! 스스로 사라진 웨이크필드가 집에 돌아갈 가능성은 마치 망자가 속세의 자기 집을 찾아갈 가능성만큼이나 희박했다.

여남은 장의 기사 대신 커다란 책 한 권을 쓸 수만 있다면! 그러면 통제 불가한 영향력이 어떻게 우리가 하는 모든 일에 억센 손을 뻗어 그 결과를 강철로 된 필연의 직물로 엮어내는지 예시를 들 수 있었을 텐데 말이다.

웨이크필드는 마법에 걸린 것이었다. 우리는 십 년 이상 그가 한 번도 문지방을 넘어선 적 없이 그저 집 주변을 망령처럼 맴돌며, 아내의 마음에서 그가 서서히 사라져가는 동안 그 자신은 최대한의 애정으로써 아내에게 충실하게 살아가도록 두어야만 한다. 한 가지 명확히 해야 할 점은, 이미 오래전 그가 스스로의 행적이 기이하다는 자각을 잃었다는 것이다.

이제 한 장면을 살펴보자. 런던 거리의 군중 가운데 우리는, 무심한 사람들의 눈길을 끌 이렇다 할 특징도 없이 이제 나이가 지긋이 든 한 남자를 발견할 것이다. 그럼에도 그의 모습에는 온통 비범한 운명의 흔적이 새겨져 있었다. 그것을 읽어낼 수 있는 사람들의 눈에는 말이다. 그는 볼품없었고 낮고 좁은 이마에는 주름이 깊게 패여 있었다. 작고 흐리멍덩한 눈은 때때로 주위를 걱정스럽게 둘러보았지만 자신의 내면을 더 자주 들여다보는 듯했다. 그는 고개를 숙인 채 자신의 정면을 세상에 보이기 싫은 듯이 형언하기 힘든 삐딱한 모양으로 걸었다. 그를 오래 관찰하며 지금까지 묘사한 모습들을 보다 보면 어떠한 환경들 - 자연의 평범한 수작업으로부터 이따금 남다른 인간들을 탄생시키는 - 이 이 인물을 만들어냈음을 인정할 것이다. 그 다음 인도 위를 게걸음 치는 그를 놔두고 반대편으로 눈을 돌려, 인생의 황혼기에 꽤 접어든 풍뚱한 여인이 손에 기도서를 쥔 채 저쪽 교회로 향하는 모습을 보자. 그녀는 이미 과부 생활에 익숙해져 평온한 모습이었다. 그녀의 슬픔은 점차적으로 사라졌거나 가슴 속에 뗄 수 없는 부분으로 자리잡아 기쁨으로 대체되기 힘들어진 것이다. 그 깡마른 남자와 건장한 여자가 서로 지나치던 그때, 약간의 방해가 일어나 둘이 직접 맞부딪게 되었다. 서로의 손이 닿았고, 사람들에게 밀려 그녀의 가슴이 남자의 어깨에 부딪혔다. 그들은 얼굴을 마주보고 서로의 눈을 들여다보았다. 십 년간의 이별 끝에 마침내 웨이크필드는 아내를 만난 것이다. 사람들이 소용돌이쳐 사라지며 그들을 떨어뜨려 놓았다. 침착한 과부는 이전처럼 교회를 향해 걷다가 입구에 멈춰 서서는 거리를 향해 혼란스러운 시선을 던졌다. 하지만 이내 기도서를 펼쳐 들고 교회로 걸어 들어갔다.

남자는 어떻게 되었을까? 바쁘고 이기적인 런던 사람들조차 멈춰서 쳐다볼 정도로 잔뜩 흥분한 표정을 지은 채, 웨이크필드는 서둘러 숙소로 돌아와 문을 걸어 잠그고 침대에 몸을 던졌다. 그러자 그의 안에 오랫동안 잠재되어 있던 감정이 봇물처럼 터져나왔다. 그 강렬한 감정에 힘입어 그의 연약한 마음은 잠깐이나마 기력을 되찾았다. 그러고는 지금까지의 비참하고 기괴한 삶이 한눈에 들어오자 한껏 격앙되어 소리쳤다.

"웨이크필드, 웨이크필드! 너는 미쳤구나!"

아마 그는 진짜 미쳤을 수도 있다. 다른 사람들이나 일상적인 삶의 관점에서 볼 때 그는 자신의 독특한 상황 속에 끼워 맞춰져 제정신을 가졌다고는 할 수 없었다. 그는 세상으로부터 단절되고 사라졌지만, 그렇다고 죽은 자들에 속하지도 않은 채 지금껏 산 자들 사이에서의 그의 위치와 특권들을 포기해온 셈이었다 ─ 혹은 우연히 그렇게 되었다고 보는 게 더 나을 것이다. 심지어 은둔자의 삶도 그의 삶에 견줄 수는 없었다. 예전처럼 북적거리는 도시 속에 사람들은 그를 보지 못하고 스쳐지나갔다. 비유적으로 말하자면 그는 항시 아내와 난롯불 옆에 있었지만, 그녀의 애정이나 난로의 온기를 절대로 느껴서는 안 되는 것이었다. 비록 웨이크필드가 본래의 인간적인 동정심을 그대로 지니고 있으며 인간사에 여전히 얽혀 있다 해도, 자신은 그에 대해 상호적인 영향력을 잃었다는 것이 그의 전례 없는 운명이었다. 그러한 상황늘이 웨이크필드의 감정과 지성, 그리고 그 모두에 끼치는 영향을 추적하는 것은 매우 흥미로운 생각거리가 되어줄 것이다. 하지만 그는 자신이 변했음을 좀처럼 자각하지 못한 채 자신을 항상 이전과 같은 사람으로 여겼다. 희미하게나마 진실을 느끼는 순간이 있었다 해도 잠시뿐이었고, 그는 계속해서 "곧 돌아갈 거야."라는 말만 반복했다. 자신이 이십 년간 그렇게 말해왔다는 사실은 잊은 채.

또한 지난 이십 년이라는 시간을 돌이켜보면 웨이크필드가 처음 집을 비우겠다고 마음먹었던 일주일의 시간보다 결코 길다고 할 수 없다. 그는 이 사건을 중요한 인생사 가운데 하나의 간주(間奏)에 지나지 않는 것으로 보았을 것이다. 그리고 시간이 좀 더 흘러 그가 드디어 응접실로 돌아갈 때가 되었다고 여겼을 때, 아내가 중년의 웨이크필드를 보고 기뻐서 박수칠 것이라고 생각했을 것이다. 아아, 이 얼마나 큰 착각인가! 우리가 즐겨하는 어리석은 행동들이 끝날 때까지 시간이 기다려만 준다면, 아마 인류 최후의 날까지 우리는 모두 젊은이로 남지 않겠는가.

그가 사라진 지 스무 해째의 어느 저녁, 웨이크필드는 여느 때처럼 그가 아직 자기 집이라고 부르는 그 집을 향해 걸어가고 있었다. 돌풍이 부는 가을 저녁이었고, 잦은 소나기가 길 위로 후두둑 떨어졌다가 우산을 펴기도 전에 그치곤 했다. 집 근처에 멈춰선 웨이크필드는 이층의 응접실 창문 너머로 붉게 빛나며 불규칙하게 가물거리는 아늑한 난롯불을 보았다. 천장에는 선량한 웨이크필드 부인의 그림자가 기괴하게 드리워 있었는데, 머리에 쓴 모자, 코와 턱, 그리고 방대한 허리가 꽤 근사한 희화를 만들어냈다. 한술 더 떠 그 형상은 깜빡이며 타올랐다가 가라앉는 불꽃에 맞추어 춤을 추었는데, 중년 과부의 그림자치고는 너무나 명랑해보였다. 그 순간 소나기가 내리기 시작하더니 무자비한 돌풍과 함께 웨이크필드의 얼굴과 가슴에 퍼부었고, 가을 추위가 완전히 그를 꿰뚫었다. 과연 그는 몸이 젖은 채 떨면서 여기 서 있을 것인가? 집 난로에는 몸을 덥혀줄 불이 충분히 때워져 있고, 아내는 침실 옷장에 틀림없이 고이 보관해두었을 회색 겉옷과 작은 옷가지들을 서둘러 가져다줄 텐데? 아니다. 웨이크필드는 그런 바보가 아니다. 그는 계단을 올랐다 ― 계단을 내려온 지 이십 년이 흘러 다리가 굳는 바람에 힘겹게, 하지만 그 사실을 모른 채로. ― 멈춰, 웨이크필드! 그대에게 남겨진 단 하나의 집에 가려거든 무덤 속에나 들어가게. ― 문이 열린다. 안으로 들어가는 그의 모습에 우리는 작별의 시선을 보낸다. 그리고 그가 지금껏 아내를 희생하며 계속해 온 시시한 장난의 징조였던 그 교활한 미소를 알아볼 것이다. 그는 얼마나 무자비하게 그 가엾은 여인을 시험에 들게 했던가! 어찌 됐든 편안한 밤이 되시길, 웨이크필드여!

이 행복한 사건 – 행복하다는 가정하에 – 은 우연이 아니고는 일어날 수 없었을 것이다. 이제 우리는 더 이상 문지방 너머로 그를 따라가지 않을 것이다. 그는 우리에게 충분한 생각거리를 남겨주었다. 그중 일부는 도덕적 지혜를 줄 것이며 구체화될 수도 있을 것이다. 혼란스러워 보이는 알 수 없는 세상 속에서도 개인들은 하나의 체제에 너무나 잘 적응하고, 체제들은 서로에 그리고 전체 체제에 잘 적응하는 나머지 잠깐이라도 거기서 이탈한 인간은 자기 자리를 영영 잃게 되는 무시무시한 위험에 스스로를 노출시키게 된다. 이를테면 웨이크필드처럼 우주의 낙오자가 될 수도 있는 것이다.

반점
The Birthmark

앞선 17세기의 후반에 자연 철학의 모든 분야에서 저명한 실력을 갖춘 한 과학자가 살았다. 그는 우리의 이야기가 시작하기 얼마 전, 그 어떤 화학적 친밀감보다도 더욱 매력적인 정신적 친밀감을 몸소 경험하게 되었다. 그는 조수에게 실험실을 맡기고는, 잘생긴 얼굴에 묻은 화덕의 매연을 닦아내고 손가락에 묻은 산성 물질의 얼룩을 씻어낸 후 한 아름다운 여인을 설득하여 아내로 맞이했던 것이다. 당시로서는 비교적 최근에 전기와 그 비슷한 대자연의 신비가 발견됨에 따라 기적의 영역으로 향하는 길이 열린 듯했고, 과학에 대한 사랑이 그 깊이나 흡인력 면에서 여인에 대한 사랑에 비견되는 일도 드물지 않았다. 더 높은 지성과 상상력, 영혼, 심지어 감정조차도 어떠한 것을 추구하는 공통적인 열병을 앓고 있었는데, 그러한 추구는 그것의 열렬한 신자들이 믿는 비에 따르면, 한 발 한 발 내딛는 상력한 지성의 발걸음을 통해 궁극적으로는 과학자가 창조력의 비밀을 손에 넣고 어쩌면 자신의 새로운 세계를 만들어내는 단계까지 다다를 것이었다. 이 정도까지 인간이 자연을 궁극적으로 지배하리라는 믿음을 에일머가 가지고 있었는지 우리는 알 수 없다. 하지만 그는 전적으로 과학적 연구에 열중한 나머지 또 다른 열정으로써 그것을 단념할 수 없을 정도였다. 젊은 아내에 대한 그의 사랑이 더 강렬했을 테지만, 그 또한 과학에 대한 사랑과 뒤얽히고 과학에 대한 사랑의 힘을 자신의 힘과 결합함으로써만 가능했을 것이다.

그러한 결합은 실제로 일어났으며 진실로 놀라운 결과와 감명 깊은 교훈을 남겼다. 결혼하고 나서 얼마 지나지 않은 어느 날, 자리에 앉아 아내를 바라보는 에일머의 얼굴에 근심이 점차 짙어지더니 그가 입을 떼었다.

"조지아나, 당신 볼에 있는 반점을 없앨 수 있다는 생각은 한 번도 해 본 적 없소?"

"그런 적 없어요."

그녀가 웃으며 말했다. 하지만 그의 심각한 태도를 알아채고는 얼굴을 짙게 붉혔다.

"사실 그게 매력이라는 소리를 많이 들어서, 단순하게도 그럴 거라고 생각했지 뭐예요."

"아, 다른 얼굴이라면 그렇겠지."

남편이 대답했다.

"하지만 당신 얼굴에는 아니오. 사랑하는 조지아나, 당신은 자연의 손에서 거의 완벽에 가깝게 탄생했기에 아주 자그마한 이런 흠도, 비록 흠이라 불러야 할지 아름다움으로 불러야 할지 모르겠소만, 지상의 불완전함을 상징하는 자국처럼 보여 나를 충격에 빠뜨린다오."

"충격을 받다니요, 여보!"

조지아나가 깊이 상처 받아 소리쳤다. 처음에는 순간적인 분노로 얼굴이 빨개지더니 이내 울음을 터뜨리는 것이었다.

"그러면 왜 저와 결혼한 거죠? 당신을 충격에 빠뜨리는 존재를 사랑할 수는 없잖아요!"

이 대화를 설명하기 위해서는 조지아나의 왼쪽 볼 가운데에 있는 기묘한 점을 언급하지 않을 수 없다. 그 점은 말하자면 그녀 얼굴의 피부 표면과 조직에 깊숙이 짜여 있었다. 은은하지만 건강한 홍조를 띤 그녀의 평소 안색에서 반점은 보다 짙은 진홍색을 띠었는데, 주변의 장밋빛 홍조 때문에 형태가 불분명했다. 그녀가 얼굴을 붉히면 반점은 더욱 흐려져서, 기세 좋게 쏠리는 피에 뺨 전체가 찬란한 붉은빛으로 물들면 마침내는 사라져버리는 것이었다. 하지만 그녀의 동태가 변화하여 얼굴이 창백해지면 마치 눈 위의 진홍빛 얼룩처럼 반점이 다시 드러났고, 에일머는 가끔 그것을 무시무시할 정도로 또렷이 느끼는 것이었다. 반점의 모양은 크기가 아주 작았지만 인간의 손 모양과 거의 비슷했다. 조지아나를 사랑하는 사람들은, 그녀가 태어날 때 어떤 요정이 자신의 작은 손을 아이의 볼에 대어 모든 이들의 마음을 흔들 만한 마법적 재능의 상징으로써 그 흔적을 남겼다고 얘기하곤 했다. 그녀에게 푹 빠진 청년들은 그 신비로운 손자국에 입을 맞추는 특권을 누릴 수만 있다면 목숨마저 걸었을 것이다. 하지만 요정의 손길로 만들어진 그 자국의 인상이 보는 사람의 기질에 따라 매우 달랐음을 부정할 수는 없다. 몇몇 까다로운 사람들은 ― 모두 같은 여성이었다 ― 그들이 '핏빛 손'으로 부르기로 한 그 자국이 조지아나의 아름다움의 효과를 망치고 심지어는 그녀의 얼굴을 끔찍하게 만든다고 주장했다. 혹은 가장 순도 높은 대리석 조각상에 종종 나타나는 작고 푸른 얼룩이 파워즈의 아름다운 이브 상을 괴물로 만들어버린다는 표현 또한 타당할 것이다. 남성들은 반점 때문에 그녀를 더욱 사모하는 게 아니라면, 그것을 없앰으로써 어떤 흠 같은 것도 없는 이상적인 사랑스러움의 살아있는 표본이 세상에 존재하게 될 것이라는 사실에 만족했다. 에일머는 결혼 후에 ― 그 전에는 반점에 대해 거의 혹은 전혀 생각해본 적이 없었기에 ― 그것이 곧 자신의 이야기임을 깨달았다.

그녀가 조금 덜 아름다웠더라면 ― 만약 질투가 다른 조롱거리를 찾을 수 있었다면 ― 그녀의 심장 속에서 고동치는 감정의 맥박에 따라 흐릿하게 보였다가, 사라졌다가, 또다시 슬그머니 나타나 가물거리는 그 어여쁜 손 모양을 보며 에일머의 애정도 고조되었을지 모른다. 하지만 다른 모든 것이 너무나 완벽한 그녀를 보고 있노라면, 그는 같이 사는 매 순간 그 결점 하나가 점점 더 견딜 수 없어지는 것이었다. 그것은 대자연이 어떤 형태로든 자신의 모든 창조물에 지워지지 않게 새겨서 그것들이 일시적이고 유한하다는 것, 혹은 그것들이 완벽해지려면 많은 수고와 고통이 따른다는 사실을 암시하는 인류의 치명적인 흠이었다. 그 진홍색 손은 인간의 유한성이 지상의 가장 고귀하고 순수한 형체를 꼭 붙들어 그것과 같이 몸뚱이가 흙으로 돌아가는 가장 저열한, 심지어 짐승 그 자체인 족속으로 타락시켜 버리는, 피할 수 없는 인간의 속박을 드러내는 것이었다. 이처럼 반점을 아내의 죄와 슬픔, 노화, 그리고 죽음에 대한 경향성의 상징으로 받아들인 에일머의 암울한 상상력은 이내 그것을 조지아나의 영혼의 아름다움 혹은 감각적 아름다움이 주었던 어떤 기쁨보다도 더 큰 근심과 공포를 일으키는 끔찍한 대상으로 만들어버리는 것이었다.

가장 행복해야 할 그 모든 때에도 그는 항상 의도치 않게, 아니 그 반대의 목적에도 불구하고 그 불행한 문제로 다시 회귀했다. 처음에는 사소해보였던 그 문제는 셀 수 없이 꼬리를 무는 생각들, 감정의 양상들과 연결되어 이제는 모든 일의 중심이 되어 버렸다. 아침이 희미하게 밝아오면 에일머는 눈을 떠 아내의 얼굴에서 그 불완전함의 상징을 확인했다. 그리고 저녁 시간 난롯가에 함께 앉아있을 때면 그의 눈은 아내의 뺨을 몰래 이리저리 살피며 장작불의 불꽃과 함께 깜박이는, 그가 기꺼이 흠모했을 얼굴에 인간의 유한성을 새겨넣은 그 유령 같은 손자국을 바라보는 것이었다. 조지아나는 곧 그의 시선을 의식하고 몸서리치게 되었다. 에일머가 종종 특유의 표정을 지으며 그녀를 바라보는 것만으로도 그녀의 뺨은 장밋빛에서 죽은 듯한 창백함으로 바뀌고, 진홍빛 손자국 또한 새하얀 대리석 위의 도드라지는 루비 양각처럼 한층 더 눈에 띄는 것이었다.

어느 늦은 밤, 불빛이 희미해져서 가엾은 아내의 뺨에 있는 얼룩이 거의 드러나 보이지 않게 되자 그녀는 처음으로 직접 그 주세에 관해 입을 뗐다.

"사랑하는 에일머, 기억나요?"

그녀가 간신히 웃음 지으며 말했다.

"당신이 지난밤에 꾼 이 불쾌한 손에 대한 꿈 말이에요."

"아니, 조금도 안 나오!"

에일머는 놀라서 대답했다가, 자신의 강렬한 감정을 숨기고자 딱딱하고 차가운 어조로 덧붙였다.

"꿈을 꿨을 수도 있겠지. 잠들기 전 그 손이 내 생각을 단단히 사로잡고 있었으니 말이오."

"꿈을 꾸긴 하신 거군요?"

조지아나가 급히 말을 이었다. 혹시라도 눈물이 왈칵 쏟아져 하려던 말이 끊길까봐 두려웠기 때문이다.

"끔찍한 꿈이었겠죠! 그 꿈을 잊을 수 없을 거예요. 당신이 '그 점은 이제 아내의 심장에 박혀있어. 우리는 그걸 제거해야 돼!' 한 것을 어떻게 잊겠어요? 잘 생각해보세요, 어떻게든 당신이 그 꿈을 떠올리게 하고 말 거예요."

모든 것을 삼켜버리는 잠이 자신의 희미한 영역에 망령들을 가두지 못하고 풀어놓는 바람에 보다 깊은 삶의 비밀들이 현실을 공포에 빠트리면 사람의 마음도 따라서 울적해지는 법이다. 에일머는 이제 자신의 꿈을 기억해냈다. 그는 하인 아미나다브와 반점을 제거하는 수술을 시도하는 상상을 했었다. 하지만 칼을 더 깊숙이 넣을수록, 손 역시 더

52

깊이 가라앉아 마침내는 그 작은 것이 조지아나의 심장을 단단히 움켜 쥔 것처럼 보이는 곳까지 이르렀다. 하지만 남편은 무정하게도 그것을 도려내거나 떼어버리기로 굳게 결심하는 것이었다.

꿈의 형태가 기억 속에서 완벽하게 되살아나자, 에일머는 아내와 함께 앉아있으면서 죄책감을 느꼈다. 진실은 종종 잠의 장막에 바싹 가려진 마음으로 향하는 길을 찾아내서는, 깨어있을 때 우리가 무의식적으로 스스로를 기만하려 애쓰는 사실들을 완고한 솔직함으로써 이야기해주곤 한다. 그는 지금껏 하나의 생각이 얼마나 마음에 포악한 영향력을 행사할 수 있는지, 스스로의 평안을 위해 얼마나 노력을 기울여야 하는지 깨닫지 못하고 있었던 것이다.

"에일머,"

조지아나가 진지하게 말을 이어갔다.

"이 치명적인 점을 없애기 위해 우리가 어떤 대가를 치러야 할지는 모르겠어요. 아마 점을 제거한다면 돌이킬 수 없는 불구가 될지도 모르죠. 아니면 점이 생명 그 자체처럼 깊이 뿌리내려 있을 수도 있구요. 다시 한 번 물을게요, 세상에 나기 전부터 새겨져 나를 꽉 쥐고 있는 이 작은 손을 어떻게든 펼 수 있는 건가요?"

"사랑하는 조지아나, 그 문제에 대해 나도 많이 생각해봤소."

에일머가 서둘러 말했다.

"나는 그것을 제거할 수 있다고 확신하오."

"만약 아주 희미한 가능성이라도 있다면 어떤 위험이 있든 시도해주세요."

조지아나가 말을 이었다.

"제게 위험은 아무것도 아니에요. 이 못난 자국 때문에 평생 당신의 공포와 혐오의 대상이 된다면 한낱 짐에 불과한 삶 따위 기꺼이 내던지겠어요. 이 끔찍한 손을 제거해주지 않을 거라면 제 비참한 생을 거두어줘요! 당신은 과학에 조예가 깊어요. 온 세상이 그 증인이죠. 당신은 정말 놀라운 것들을 이뤄냈잖아요. 그런데 내 작은 두 손가락 끝으로 가릴 수 있는 이 작디작은 자국 하나 못 없애겠어요? 당신 능력으로 스스로의 평안을 찾고, 가엾은 아내가 미치지 않도록 구해내는 것이 정녕 불가능하겠어요?"

"세상에서 가장 고귀하고, 사랑스럽고, 다정한 나의 아내여,"

에일머가 뛸 듯이 기뻐하며 소리쳤다.

"내 능력을 의심하지 마시오. 이미 이 문제에 대해 최대한 깊이 생각해봤소 ─ 심지어 당신에 버금가는 어떤 존재를 창조할 방법까지 깨우칠 정도로 말이오. 조지아나, 당신은 나를 그 어떤 때보다 더 깊이 과학의 심장부로 이끌었소. 당신의 이 사랑스러운 뺨을 다른 쪽만큼이나 흠잡을 데 없이 만드는 데에 누구보다도 자신 있소. 내 사랑이여, 자연이 자신의 가장 아름다운 작품에 남긴 결점을 바로잡는 순간 내 승리의 기쁨이 어떻겠소! 자신이 조각한 여인이 살아났을 때 피그말리온[1]이 느낀 황홀감조차도 내 기쁨만 못할 것이오."

"그럼 결정되었군요."

조지아나가 희미하게 미소 지으며 말했다.

---

[1] 자신이 조각한 여인상을 사랑한 그리스 신화 속 조각가로, 아프로디테 여신에게 기도를 드려 그 조각상에 생명을 불어넣었다.

"그리고 에일머, 마침내는 반점이 내 심장에 머물고 있는 것을 발견하더라도 내게 자비를 베풀지 마세요."

남편은 진홍빛 손이 새겨지지 않은 그녀의 오른쪽 뺨에 부드럽게 키스했다.

다음 날 에일머는 아내에게 자신이 세운 계획을 알려주었다. 그 계획에 따라 그는 수술에 필요한 철저한 고찰과 지속적인 관찰을 할 기회를 가지고, 조지아나 또한 수술의 성공에 필수적인 완벽한 휴식을 취할 것이었다. 그들은 에일머가 실험실로 사용하고 있는 널따란 아파트에 은신하며 지내기로 했다. 고생스럽던 젊은 시절, 그곳에서 그가 자연의 본질적 힘에 대해 발견한 것들은 유럽의 모든 학회들의 경외를 불러일으켰다. 실험실에 조용히 앉은 채 이 창백한 철학자는 가장 높은 구름층과 가장 깊은 광산의 비밀들을 탐구하기도 했고, 화산의 불꽃을 유발하고 지속시키는 원인들을 발견하고는 뿌듯해하기도 했다. 또한 샘물의 신비와 그것이 어떻게 대지의 어두컴컴한 깊은 곳에서 맑고 깨끗하게, 혹은 풍부한 약효를 지닌 채 솟아오르는지 설명하기도 했다. 또한 더 일찍이 그는 이곳에서 인체의 신비를 연구하며 자연이 어떻게 대지와 공기, 그리고 영적 세계로부터 고귀한 영향력을 흡수하여 자신의 걸작인 인간을 창조하고 양육하는지 그 과정을 헤아려보려 시도하기도 했다. 하지만 에일머는 어떠한 진실 — 진리를 추구하는 모든 이들이 머지않아 걸려 넘어지고 마는 — 을 원치 않게 자각함으로써 후자의 시도를 포기한 지 오래였다. 그 진실이란, 위대한 창조의 어머니가 환한 햇살 속에서 자신의 일을 선보이며 우리를 즐거이

해주지만 한편으로 자신의 비밀을 지키는 데는 매우 조심스러우며, 개방적인 척 하지만 결과 이외의 것은 우리에게 결코 보여주지 않는다는 사실이었다. 실로 그녀는 우리가 무언가를 훼손하는 것은 허락했지만 고치는 것은 좀처럼 허락하지 않았으며, 특히 무언가를 만드는 것은 마치 질투심 많은 특허권자 마냥 절대로 허락하지 않는 것이었다. 하지만 이제 에일머는 반쯤 잊혔던 이 연구를 다시 시작했다. 물론 처음 시작할 때처럼 어떤 희망이나 바람 때문은 아니었다. 대신 그 연구가 많은 생리학적 진실을 수반하며, 조지아나의 치료를 위해 자신이 고안한 계획의 연장선상에 있었기 때문이었다.

그가 조지아나를 실험실 입구로 데리고 가자 그녀는 오한을 느끼며 몸을 떨었다. 에일머는 조지아나를 안심시키려고 밝은 표정으로 그녀의 얼굴을 바라보았다가, 그녀의 창백한 뺨 위에서 강렬하게 빛나는 반점을 보고 소스라치게 놀란 나머지 발작하듯 거세게 몸서리쳤다. 조지아나는 그만 정신을 잃어버렸다.

"아미나다브! 아미나다브!"

에일머가 발로 바닥을 거칠게 구르며 소리쳤다.

키가 작지만 커다란 체격의 한 남자가 화덕의 증기로 더럽혀진 얼굴에 덥수룩한 머리카락을 늘어뜨린 채 아파트 안에서 즉시 튀어나왔다. 이 인물은 과학자로서의 에일머의 생애 동안 그의 하인으로 일해왔으며, 기계적인 준비성과 더불어 원리는 전혀 이해하지 못할 지라도 주인의 실험의 세부 사항까지 완수하는 기술은 실험을 수행하는 데 더없이 적합했다. 거대한 힘과 덥수룩한 머리칼, 그을린 얼굴, 그를 둘러싼 형언할 수 없는 세속적 분위기로 인해 그는 마치 인간의 육체성을 상징하는 듯이 보였다. 반면 에일머의 가냘픈 체구와 창백하고 지적인 얼굴은 그에 못지않게 정신적인 요소의 한 전형 같았다.

"내실(內室) 문을 활짝 열게, 아미나다브. 그리고 향정을 태우게."

"네, 주인님."

아미나다브가 생명이 꺼진 듯한 조지아나의 모습을 골똘히 쳐다보며 대답하고는 혼잣말로 중얼거렸다.

"저 분이 내 아내라면 절대 저 반점을 없애지 않을 텐데."

정신을 차렸을 때, 조지아나는 향기가 속속들이 스민 공기 속에 숨쉬고 있음을 깨달았다. 그 향기의 부드러운 효력이 그녀를 죽은 듯한 실신 상태에서 일깨운 것이었다. 그녀 주변의 광경은 마치 마법 같았다. 에일머는 심오한 진리를 추구하며 자신의 가장 찬란했던 시절을 보냈던 그 연기 가득하고 우중충하며 음침한 방들을 아리따운 여성의 은신처에 걸맞게 일련의 아름다운 방들로 바꾸어 놓았던 것이다. 벽에 드리워진 화려한 커튼은 다른 장식으로는 구현할 수 없는, 위엄과 우아함이 합쳐진 분위기를 풍겼다. 또한 커튼이 천장에서 바닥까지 늘어지면서 잡힌 풍성하고 묵직한 주름은 방의 모든 각진 곳과 직선으로 된 곳을 가림으로써 그 장면을 어떤 무한한 영역으로부터 차단하는 듯했다. 잘은 몰라도 조지아나에게 그곳은 마치 구름 위에 떠있는 누각 같았다. 그리고 에일머는 화학적 실험 과정들에 방해되지 않도록 햇빛을 차단하는 대신, 여러 색의 불빛을 내뿜다가 하나의 부드러운 자줏빛을 형성하는 향불을 두었다. 이제 그는 아내의 곁에 무릎을 꿇고 앉아 진지하지만 편안한 마음으로 그녀를 바라보았다. 왜냐하면 그는 사신의 과학적 능력에 자신 있었으며, 그녀 주위로 어떤 악한 힘도 침범할 수 없는 마법의 원을 그릴 수 있다고 믿었기 때문이었다.

"여기가 어디죠? 아, 기억나요."

조지아나가 희미하게 말했다. 그러고는 그 끔찍한 자국이 남편의 눈에 띄지 않도록 손으로 뺨을 가렸다.

"두려워 마시오, 여보!"

그가 소리쳤다.

"나를 피하지 말고 믿으시오, 조지아나. 나는 그 하나의 흠이 도리어 기쁘오. 그것을 없애버렸을 때 황홀하기 그지없을 테니 말이오."

"오, 그러지 마세요! 다시는 그 점을 쳐다보지 말아요. 당신의 그 격한 몸서리를 나는 절대 잊을 수 없을 테니까요."

아내가 슬프게 대답했다.

조지아나를 안심시키고 그녀의 마음을 현실의 부담에서 해방시키기 위해, 에일머는 이제 과학이 자신에게 가르쳐 준 보다 심오한 지식들 중 가볍고 장난스러운 비법 몇 가지를 실행해 보였다. 환상의 형체들, 무형의 관념들과 실체 없는 미의 형상들이 나타나 조지아나 앞에서 춤추며 빛줄기 위에 짧은 발자취를 남겼다. 비록 그녀도 이런 시각적 현상의 원리에 대해 어렴풋이 알고는 있었지만, 그 환영은 남편이 영적 세계를 지배할 능력을 가졌다는 믿음을 보증할 만큼 거의 완벽에 가까웠다. 그리고 다시, 갇혀있던 그녀가 바깥을 보고 싶다고 느끼자마자 마치 그녀의 생각에 응하듯 커튼 위로 바깥 존재들의 행렬이 스쳐 지나가는 것이었다. 실제 광경과 형체들이 완벽히 재현되었는데, 거기에는 사진이나 그림, 혹은 환영을 실물보다 훨씬 매력적으로 만드는 황홀하면서도 형언할 수 없는 차이가 담겨있었다. 이 놀이에 질리자 에일머는 조지아나에게 흙이 담긴 용기를 바라보게 시켰다. 그녀는 처음에는 별 흥미 없이 쳐다보았다가, 곧 흙에서 식물의 싹이 위로 솟아나는 것을 보고 깜짝 놀랐다. 그러더니 가느다란 줄기가 나오고 이파리가 점점 펼쳐지면서 그 가운데 완벽하고 사랑스러운 한 떨기 꽃이 피어나있는 것이었다.

"마법 같아요! 감히 만지지 못하겠는걸요."

조지아나가 소리쳤다.

"아니, 꽃을 꺾어 봐요. 꺾어서 가능한 한 잠깐의 향이라도 들이마셔봐요. 꽃은 얼마 안 지나 갈색 씨방만 남기고 시들어버릴 것이오. 하지만 그로부터 자신처럼 덧없는 종자가 계속 대를 잇겠지."

에일머가 대답했다.

하지만 조지아나가 꽃을 만지자마자 식물 전체가 시름시름 앓더니 이파리가 불에 탄 것처럼 새까매지는 것이었다.

"자극이 너무 강했나 보오."

에일머가 생각에 잠겨 말했다.

실패한 실험을 만회하기 위해 그는 자신이 고안한 과학적 방식으로 조지아나의 초상을 그려보겠다고 제안했다. 윤을 낸 금속판에 여러 줄기의 광선을 강하게 쏘는 방식이었다. 조지아나는 동의했지만 결과물을 보고 소스라치게 놀랐다. 초상 속 얼굴은 흐리고 불확실한데 반해 작은 손자국만은 뺨이 있어야 할 곳에 그대로 드러나 있었기 때문이었다. 에일머는 그 금속판을 낚아채어 부식을 일으키는 산이 담긴 병 속으로 던져버렸다.

하지만 그는 곧 이 굴욕적인 실패들을 잊어버렸다. 그는 연구와 화학 실험을 하는 틈틈이 상기되고 지친 상태로 아내에게 갔다가 그녀의 존재에서 힘을 얻고, 자신의 기술의 원천에 대해 열변을 토하는 것이었다. 또한 그는 모든 부정하고 열등한 것들로부터 황금의 원리를 도출해 낼 보편적인 용매를 찾기 위해 수많은 시간을 쏟았던 역대 연금술사들의 긴 역사를 늘어놓기도 했다. 에일머는 그들이 오랫동안 찾아 헤맸던 이 용매를 아주 단순한 과학적 이론을 통해 발견할 수 있다고 믿는 듯했다.

"하지만,"

그가 덧붙였다.

"그 힘을 얻을 정도로 깊은 경지에 다다른 과학자는 그것을 쓰려고 비굴해지기엔 너무나 고상한 지혜를 얻게 된다오."

불로장생약에 대한 그의 생각 또한 꽤 독특했다. 그는 자신의 의지대로 수명을 수 년 혹은 무한히 연장해주는 용액을 제조할 수는 있지만 그 경우 온 세상이, 특히 그 불멸의 묘약을 마시는 자도 저주해 마지않을 자연의 부조화를 일으킬 것이라고 공언하는 것이었다.

"에일머, 정말 진지하게 하는 이야기예요?"

조지아나가 놀라움과 두려움 속에 그를 바라보며 물었다.

"그런 힘을 가지거나 심지어 가지기를 바라는 것만으로도 끔찍한 일이에요."

"두려워 마시오, 여보. 그 부조화한 힘을 우리 삶에 적용해서 당신이나 내가 잘못되도록 두진 않을 것이오. 다만 그에 비해 이 작은 손자국을 없애는 데 필요한 기술이 얼마나 하찮은지 당신이 알았으면 하는 것이오."

그가 반점에 대해 언급하자 여느 때처럼 조지아나는 마치 시뻘겋게 단 인두가 볼에 닿기라도 한 듯이 움츠러들었다.

에일머는 또다시 일에 몰두하였다. 그녀는 멀리 화로가 있는 방에서 남편이 아미나다브에게 지시하는 목소리를 들을 수 있었는데, 그에 대답하는 아미나다브의 거칠고 천박하며 흉측한 목소리는 마치 인간의 목소리라기보다 짐승이 낑낑거리거나 으르렁거리는 소리에 더 가까웠다. 몇 시간이나 자리를 비운 후 다시 나타난 에일머는 아내에게 화학 제품들과 자연의 귀한 물질들이 담긴 자신의 진열장을 살펴볼 것을 권했다. 화학 제품들 중 그는 작은 약병을 꺼내 보여주면서, 그 안에 순하면서도 왕국을 가로질러 부는 모든 산들바람에 스밀 정도로 더없이 강력한 향이 들어있다고 말했다. 그는 그 작은 병에 든 내용물이 값을 매길 수 없을 만큼 귀한 것이라고 하면서 공기 중에 향을 조금 뿌렸다, 그러자 방 전체가 강렬하고 유쾌한 기쁨으로 가득 찼다.

"그런데 이건 뭐죠?"

조지아나가 금빛 용액이 담긴 작은 구 모양의 크리스탈 병을 가리키며 물었다.

"너무 아름다워서 마치 생명의 영약 같아 보여요."

"어느 정도는 맞소."

에일머가 대답했다.

"혹은 불멸의 약이라고 보는 것이 더 낫겠군. 이것은 지금까지 만들어진 독약들 중 가장 귀한 것이라오. 이 약의 도움으로 나는 당신이 지목하는 어떤 인간의 수명도 배분할 수가 있소. 투약의 강도에 따라 수년을 더 살게 될지, 혹은 불시에 죽게 될지를 결정할 수가 있지. 아무리 엄호 받는 왕좌에 앉은 임금일지라도 내가 나만의 은신처에서 수많은 사람들의 안녕을 위해 그의 생명을 뺏는 게 정당하다고 판단한다면 그는 목숨을 부지할 수 없을 것이오."

"왜 그런 끔찍한 약을 계속 가지고 있는 거죠?"

조지아나가 공포에 질려 물었다.

"오해 마시오, 이 약의 효과는 해로움보다 유익함이 더 크니까."

남편이 웃으며 말했다.

"봐요, 여기 효과가 강력한 화장수가 있소. 물이 담긴 병에 몇 방울만 희석시켜도 주근깨를 마치 손 씻듯 쉽게 지울 수 있소. 농도를 더 높이면 뺨에서 핏기를 다 빼앗아 장밋빛 미인도 창백한 유령으로 만들어버릴 수 있지."

"이 화장수로 내 뺨을 씻어내리려는 건가요?"

조지아나가 걱정스럽게 물었다.

"아니오."

남편이 급히 대답했다.

"이것은 표면적인 효과만 있소. 당신의 경우 더 깊숙이 효과가 미치는 치료약이 필요하오."

조지아나와 대화하면서 에일머는 그녀의 감각 상태가 어떤지, 방의 밀폐된 정도와 공기의 온도가 그녀에게 잘 맞는지 등을 전반적으로 세심하게 질문했다. 그 질문들에는 어떠한 경향성이 있어서, 조지아나는 자신이 향기를 들이마시거나 음식을 먹음으로써 이미 특정한 신체적 영향을 받고 있다고 추측하기 시작했다. 마찬가지로 그녀는 자신의 신체 체계에 교란이 일어났다는 환상, 즉 이상하고도 불확실한 어떤 감각이 혈관 속에서 스멀거리며 반쯤 고통스럽지만 반쯤 기분 좋게 심장을 콕콕 쑤시는 듯한 환상에 사로잡혔는데, 그 모든 것은 그야말로 환상에 불과할지도 몰랐다. 하지만 여전히 그녀가 용기 내어 거울을 볼 때마다 그 안에는 한 떨기 백장미처럼 창백한 자신의 모습과 함께 뺨에 새겨진 진홍빛 반점이 있었다. 이제는 에일머조차 그녀만큼 그 점을 혐오하지는 않았다.

남편이 실험의 배합과 분석 과정에 전념해야 하는 동안 조지아나는 지루함을 쫓기 위해 그의 과학 서재에 있는 책들을 살펴보았다. 그녀는 수많은 칙칙한 고서들 속에서 연애담과 시로 가득한 장(章)들을 발견했는데, 그것들은 알베르투스 마그누스, 코넬리우스 아그리파, 파라켈수스, 그리고 예언하는 '황동 머리[2]'를 만든 유명한 수도사 등 중세시대 철학자들의 작품이었다. 이 모든 고대의 자연주의자들은 시대를 앞서갔지만 뭐든지 쉽게 믿는 경향이 있어서, 사람들은 그들이 자연에 대한 연구로부터 자연을 능가하는 힘을 얻고 물질 세계로부터 영적 세

---

2 수도사 로저 베이컨 등 후기 중세 학자들이 만들었다고 알려진 전설 속 기계로, 주어진 모든 질문에 정확한 답을 한다고 알려져 있다.

계에 대한 지배력을 얻었다고 믿었으며 그들 스스로도 아마 그렇게 생각했을 것이다. 영국 왕립학회[3] 초기 회보에 드러난 호기심과 상상력 또한 그에 못지않아서, 그 회원들은 자연적 가능성의 한계에는 거의 무지한 채 계속해서 회보에 경이로운 사건들을 기록하거나 그것들이 일어난 방법을 제시하는 것이었다.

하지만 조지아나의 마음을 가장 빼앗은 책은 남편이 직접 쓴 커다란 2절판 책이었다. 그 책은 그가 과학자로서 수행한 모든 실험들과 그것들의 원래 목표, 실험을 진행하는 데 채택한 방법들, 그리고 최종 성공 혹은 실패 여부와 그 원인이 되는 상황들을 기록해둔 것이었다. 사실 그 책은 열정적이고 야심차며 상상력이 풍부하면서도, 한편으로 현실적이고 근면한 그의 삶을 담은 역사이자 상징물이었다. 그는 물리적 사항들을 마치 그 이면에는 아무것도 없는 듯이 다루면서도 그것들을 영적으로 승화시키고, 무한한 세계에 대한 강렬하고 간절한 열망으로써 스스로를 물질주의에서 구원하는 것이었다. 그의 수중에서는 순전한 흙덩어리조차 영혼을 띠게 되었다. 책을 읽으며 조지아나는 그 어느 때보다도 에일머에게 깊은 존경심과 사랑을 느꼈지만, 이전처럼 그의 판단에 전적으로 의존할 수는 없을 성싶었다. 비록 그가 성취한 것들은 많았지만, 그중 가장 훌륭한 성취들 대부분이 그가 추구했던 이상에 비해서는 예외 없이 실패했음을 목격하지 않을 수 없었기 때문이었다. 그의 가장 찬란한 다이아몬드는 그가 닿을 수 없는 곳에 숨겨진

---

3 자연과학에 대한 실용적 지식의 개선과 수집, 그에 기초한 철학 체계 건설을 목표로 1660년 창립된 지식인 및 학자들의 모임으로, 지금까지도 존속하며 사실상 영국의 과학 아카데미 역할을 수행하고 있다.

고귀한 보물에 비하면 단순한 자갈에 불과했으며, 에일머 자신 또한 그렇게 느꼈던 것이다. 그 책은 저자에게 명성을 안겨준 성취들로 가득했음에도 불구하고 인간이 쓴 여느 기록들처럼 우울하기 그지없었다. 그 책은 정신이 육체의 짐을 지고 물질계에서 일해야 하는 복합적 존재인 인간의 결점에 대한, 그리고 속세에 비참하게 좌절당한 인간의 숭고한 본성을 공격하는 절망감에 대한 슬픈 자백이자 끊임없는 예시들이었다. 아마 어떤 분야의 천재든지 간에 에일머의 기록에서 자신의 경험의 단면을 발견할 수 있었을 것이다.

이러한 생각들에 깊이 감명 받은 나머지 조지아나는 펼쳐진 책 위에 얼굴을 묻고 눈물을 터뜨렸다. 바로 그때 남편이 그녀를 발견했던 것이다.

"마법사의 책을 읽는 것은 위험하오."

그는 웃으며 말했지만 안색은 어딘지 불편하고 불쾌해보였다.

"조지아나, 그 책에는 나마저도 훑어보다가 제정신을 지키기 힘든 부분들이 있소. 당신에게도 해로울 수 있으니 조심하구려."

"이 책을 읽고 당신을 그 어느 때보다도 더 존경하게 되었어요."

"일단은 이번 일의 성공을 기다려보구려,"

그가 대답했다.

"그 후에 나를 존경하려거든 하시오. 그때는 나 또한 스스로를 자랑스럽게 여길 테니까. 하지만 이리 와요, 당신의 황홀한 목소리를 듣고 싶었소. 나에게 노래를 불러주시오."

그래서 그녀는 자신의 목소리로 촉촉한 음악을 쏟아내어 에일머의 영혼의 갈증을 채워주었다. 그러자 그는 마치 아이 같은 명랑함으로 가득 차서는, 그녀에게 격리 상태를 조금만 더 견디면 되며 결과 또한 이미 분명하다고 안심시킨 후 자리를 뜨는 것이었다. 그가 떠나자마자 조지아나는 그를 따라가고 싶은 거센 충동에 사로잡혔다. 두세 시간 전부터 주의를 끌기 시작한 어떤 증상에 대해 그에게 알려주는 것을 까맣게 잊고 있었던 것이다. 그것은 그 치명적인 반점에서 느껴지는 어떤 감각이었는데, 고통스럽지는 않았지만 그녀의 온몸을 초조하게 만들고 있었다. 남편을 급히 따라간 그녀는 처음으로 실험실에 발을 들였다.

가장 먼저 그녀의 눈에 띈 것은 강렬한 불빛을 내뿜으며 뜨겁게 작열하는 화로였다. 위에 들러붙은 검댕의 양으로 보아 아주 오랜 시간 동안 타오르고 있었던 듯했다. 증류 기관도 한창 가동되는 중이었는데, 방 주위로 증류기와 시험관, 실린더, 도가니, 그 외의 화학 실험 기구들이 널려 있었고 전기 기구 또한 바로 쓰일 수 있게 준비되어 있었다. 방 안의 공기는 숨 막히게 답답했고 실험 과정에서 배출된 가스 냄새로 오염되어 있었다. 노출된 맨 벽과 벽돌로 된 바닥 등 실험실의 수수하고 꾸밈없는 단순함은, 환상적으로 우아한 내실의 분위기에 익숙해져 있던 조지아나에게는 기이하게 보였다. 하지만 무엇보다, 아니 단 하나 그녀의 주의를 끈 것은 바로 에일머의 모습이었다.

그는 시체처럼 창백해진 채, 화로에서 증류되고 있는 용액이 영원한 행복의 물약이 될지 혹은 불행의 물약이 될지가 마치 자신의 철저한 감시에 달렸다는 듯이 걱정스러우면서도 집중한 모습으로 화로 앞에

매달려 있었다. 조지아나의 격려에 보였던 긍정적이며 쾌활한 모습과
는 사뭇 달랐다.

"자, 조심히, 아미나다브. 조심히, 인간으로 된 기계여, 육체로 된 인
간이여!"

에일머가 그의 조수에게라기보다는 스스로에게 중얼거렸다.

"이제 생각이 너무 많아도 너무 적어도 모든 게 끝장날 걸세."

"오호! 보세요, 주인님! 보세요!"

아미나다브가 중얼거렸다.

에일머는 급히 눈을 쳐들었다가 조지아나를 발견하고는, 처음에는
얼굴이 붉어지더니 점차 지금껏 본 적 없게 창백해졌다. 그는 서둘러
조지아나에게 달려가 손자국이 날 정도로 그녀의 팔을 꽉 움켜쥐었다.

"왜 여기 왔소? 남편을 믿지 않는 것이오?"

그가 격하게 소리쳤다.

"내가 하는 일에 그 치명적인 반점의 불길한 기운을 드리우러 왔소?
이건 잘못된 행동이오. 가시오, 이 도둑고양이 같은 여자!"

"아니에요, 에일머."

조지아나는 타고난 단호한 태도로 얘기했다.

"당신은 불평할 권리가 없어요. 당신이야말로 아내를 믿지 못하고
있잖아요. 실험 과정을 지켜보며 근심이 드는 걸 숨겨가면서 말이에
요. 저를 그렇게 하찮게 여기지 마세요. 우리가 무릅쓰고 있는 위험을
전부 말해줘요. 그리고 제가 겁낼까봐 두려워하지도 마시구요. 왜냐하
면 그 위험에서 제 몫은 당신보다 훨씬 적으니까요."

"아니오, 조시아나! 절대 그렇지 않소."

에일머가 다급하게 말했다.

"저는 복종하겠어요."

그녀가 차분히 대답했다.

"그리고 에일머, 당신이 주는 약이 무엇이든 기꺼이 마시겠어요. 당신이 주는 것이라면 독약이라도 마시겠다는 신념으로요."

"고결한 나의 아내여,"

에일머가 깊이 감동 받아 말했다,

"나는 지금껏 당신 본성의 그 고상함과 깊이를 미처 알지 못했소. 이제 그 어떤 것도 숨기지 않겠소. 알다시피 이 진홍빛 손은 겉보기에는 얇아보여도 지금껏 몰랐던 강력한 힘으로 당신의 존재 자체를 움켜쥐고 있소. 당신의 신체 체계 전부를 변화시키는 것을 제외한 그 어떤 것도 할 수 있는 강력한 약품들은 이미 투약해보았소. 이제 오직 한 가지 시도할 게 남아있는데, 그것마저 실패한다면 우린 끝이오."

"왜 이 얘기를 못하고 망설인 거죠?"

그녀가 물었다.

"왜냐하면, 위험이 도사리고 있기 때문이오."

에일머가 처진 목소리로 말했다.

"위험이라구요? 이 끔찍한 오점이 내 뺨에 남아있는 것 외에 다른 위험은 없어요!"

조지아나가 소리쳤다.

"없애줘요, 그 대가가 어떤 것이든지요. 그렇지 않으면 우리 모두 미치고 말 거예요!"

"당신의 말은 맹세코 지당하오."

에일머가 슬프게 말했다.

"이제 당신은 다시 내실로 돌아가 있구려. 얼마 안 있어 모든 시험이 다 끝날 것이오."

에일머는 그녀를 내실로 안내한 후 엄숙하고도 부드러운 태도로 작별 인사를 했다. 그러한 태도는 상황이 얼마나 위태로운지를 말보다 훨씬 잘 보여주었다. 그가 떠난 후 조지아나는 깊은 생각에 잠겼다. 그리고 에일머의 성격을 그 어느 때보다도 정당하게 고찰해보았다. 그녀의 심장은 에일머의 고결한 사랑에 떨리면서도 황홀한 기쁨을 느꼈다 – 그의 사랑은 너무나 순수하고 숭고해서, 완벽하지 않은 어떤 것을 받아들이거나 자신이 꿈꿔온 것보다 세속적인 것에 초라하게 안주하지 않을 것이었다. 조지아나는 그러한 사랑의 감정이, 자신을 위한답시고 불완전함을 용인하고 성스러운 사랑이 지닌 완벽한 이상을 현실로 끌어내리는 반역죄를 범하는 하찮은 수준의 사랑보다 훨씬 고귀하게 느껴졌다. 그녀는 한순간이라도 자신이 에일머의 가장 숭고하며 심오한 계획을 실현시켜줄 수 있기를 온 영혼을 다해 기도했다. 하지만 실현된 상태가 그 이상으로 지속될 수 없으리라는 것도 알았다. 왜냐하면 그의 영혼은 언제까지나 앞으로 나아가고 위로 오르고자 할 것이며, 매 순간 그 이전의 범위를 넘어서는 무언가를 필요로 할 것이기 때문이었다.

남편의 발자국 소리에 그녀는 정신을 차렸다. 그는 물처럼 색은 없지만 영생의 물약과 어울리게 밝은 빛을 띤 액체가 담긴 크리스탈 잔을 들고 왔다. 에일머의 얼굴은 창백했다. 하지만 그것은 두려움이나 의심보다는 매우 정교한 마음과 영혼의 긴장 상태에서 비롯된 듯했다.

"물약을 완벽히 제조해내었소."

그가 조지아나의 시선에 응하며 말했다.

"내가 과학에 바친 지난 모든 세월이 나를 속이지 않은 이상, 실패할 수는 없을 것이오."

"두말할 것 없어요, 나의 사랑 에일머."

아내가 말했다.

"다른 방법보다 저는 삶 자체를 단념해서라도 이 숙명의 반점을 없애고 싶어요. 지금의 저와 같은 정신적 수준의 사람들에게 삶은 슬픈 전유물에 불과해요. 제가 더 나약하거나 어리석었더라면 삶은 행복했겠죠. 제가 더 강인했다면 삶을 긍정적으로 견딜 수 있었을 거구요. 하지만 스스로를 보건대 저는 누구보다도 죽어 마땅한 존재라는 생각이 들어요."

"당신은 죽음을 맛볼 필요도 없는 천상에나 어울리는 존재요!"

남편이 대답했다.

"그런데 우리가 왜 죽는 얘기를 하고 있지? 이 약은 결코 실패할 리 없소. 이 식물에 약효가 나타나는 것을 지켜보시오."

창가에는 병들어서 잎 전체에 노란 반점이 퍼진 제라늄 화분이 놓여 있었다. 에일머는 제라늄이 핀 흙에 물약을 조금 뿌렸다. 얼마 안 지나 뿌리가 수분을 빨아들이자, 그 흉측한 반점들이 사라지기 시작하더니 이내 식물은 파릇파릇한 생기를 되찾았다.

"증명할 필요 없어요."

조지아나가 조용히 말했다.

"잔을 제게 줘요, 당신 말에 기꺼이 모든 걸 걸겠어요."

"그럼 마셔요, 고귀한 그대여!"

에일머가 열렬히 찬양하며 외쳤다.

"당신 영혼에는 한 점의 불완전함도 없소. 당신의 육체 또한 곧 완벽해질 것이오."

그녀는 액체를 들이켠 후 잔을 남편의 손에 다시 돌려주었다.

"기분이 좋군요."

그녀가 평온한 미소를 지으며 말했다.

"이 물은 마치 천상의 샘에서 떠온 것 같아요. 제가 알지 못했던 은은한 향과 맛을 지니고 있네요. 오랫동안 나를 목 타게 했던 뜨거운 갈증이 가라앉았어요. 이제 제가 잠 잘 수 있게 해줘요. 그런데 마치 해질 무렵 장미꽃 가운데로 꽃잎들이 오므라지듯 제 영혼이 육체 감각에 덮이는 것 같군요."

조지아나는 희미하게 우물쭈물 발음하는 것조차 기력이 달리는 듯 간신히 마지막 말을 했다. 그리고 그 말이 입술을 맴돌자마자 그녀는 잠에 빠져들었다. 에일머는 그녀 곁에 앉아, 마치 자신의 모든 존재 가치가 지금 진행 중인 이 실험에 달린 사람에 걸맞은 심정으로 그녀의 얼굴을 바라보았다. 그러나 그 감정은 과학자의 철학적 탐구 정신과 뒤섞여 있어서 아주 미세한 증상도 그의 눈을 피할 수 없었다. 고조된

뺨의 홍조, 살짝 불규칙적인 호흡, 눈꺼풀의 경련, 알아차리기 힘들 정도로 미세한 신체의 떨림 등의 세부 내용을 그는 그 순간이 지날 때마다 자신의 2절판 책에 적어나갔다. 이전의 페이지마다도 열띤 사고의 흔적이 남아있었지만, 오랜 세월에 걸친 그 모든 생각들은 바로 이 마지막 페이지에 집약된 것이었다.

그러한 와중에도 에일머는 그 치명적인 손자국을 자주 쳐다보았고 그때마다 몸서리쳤다. 한번은 어떤 기이하고 설명할 수 없는 충동에 이끌려 자신의 입술을 반점 위에 대어보았다. 그러나 그 즉시 그의 영혼은 움찔하며 뒤로 물러났고, 조지아나는 깊이 잠든 와중에도 불편하게 몸을 뒤척이며 마치 항의하듯 무언가를 중얼거리는 것이었다. 에일머는 다시 관찰을 이어갔다. 그런 보람이라도 있듯, 대리석같이 창백한 조지아나의 뺨 위에서 처음에는 강렬해 보이던 진홍빛 손은 그 윤곽이 점차 희미해져 갔다. 여전히 그녀는 창백한 반면 숨을 들이쉬고 내쉴 때마다 그 반점은 이전의 선명함을 잃어갔다. 반점이 있는 것도 끔찍했지만, 그것이 사라지는 과정은 더 끔찍했다. 하늘에서 무지개의 흔적이 사라지는 모습을 보면 그 신비한 상징물이 어떻게 사라져갔는지 알 수 있을 것이다.

"과연! 거의 사라졌군!"

에일머가 주체할 수 없는 황홀감에 사로잡혀 혼잣말을 했다.

"이제 거의 알아보지 못하겠어. 성공이야, 성공! 이제는 희미해질 대로 희미해진 장밋빛이 되었군. 뺨이 아주 조금만 붉어져도 보이지 않겠어. 하지만 조지아나가 너무 창백한걸!"

그는 창문의 커튼을 걷어젖히고 낮의 햇살을 방 안으로 들여 그녀의 뺨에 머물게 했다. 바로 그때 역겹고 거친 웃음소리가 들려왔는데, 그것은 하인 아미나다브가 기뻐할 때 내는, 그가 예전부터 익히 알던 소리였다.

"아, 이 흙덩어리, 속세의 인간이여!"

에일머가 광기 어린 웃음을 웃으며 소리쳤다.

"지금까지 나를 잘 섬겼다. 물질과 영혼, 땅과 하늘 모두 이 일에서 각자의 몫을 잘 해냈어! 웃거라, 이 감각의 동물이여! 너는 웃을 권리가 있다."

이러한 외침은 조지아나의 잠을 깨웠다. 그녀는 천천히 눈을 뜨고는 남편이 이미 보라고 준비해 둔 거울을 들여다보았다. 한때는 그들의 모든 행복을 쫓아버릴 정도로 파괴적인 광채를 내뿜던 진홍빛 손이 이제 거의 보이지 않게 된 것을 발견하자 그녀의 입가에 희미한 미소가 스쳤다. 하지만 에일머의 얼굴을 좇는 그녀의 눈길에는 그가 설명할 수 없는 근심과 불안이 담겨있었다.

"가엾은 에일머!"

그녀가 중얼거렸다.

"가엾다고? 그럴 리가, 어느 때보다도 풍요롭고 행복하며 은혜롭기 그지없소!"

그가 소리쳤다.

"비길 데 없는 나의 신부여, 성공했소! 당신은 이제 완벽하오!"

"가엾은 에일머,"

조지아나가 인간의 그것을 넘어서는 부드러움을 담아 되풀이하여 말했다.

"당신의 목표는 고상했고 그것을 훌륭히 이루었어요. 그 고귀하고 순수한 감정으로, 이 땅이 당신에게 줄 수 있는 최상의 것을 거절해버린 것을 후회하지 말아요. 에일머, 내 사랑 에일머, 저는 죽어가고 있어요!"

아아, 사실이었다! 그 숙명의 손은 삶의 신비를 풀기 위해 씨름했으며, 천사의 영혼이 인간의 육체와 결합할 수 있도록 이어주는 끈이었던 것이다. 인간의 불완전함의 유일한 상징인 그 반점의 마지막 진홍빛이 뺨에서 사라지자 이제 막 완벽해진 여인의 마지막 숨결도 공기 중으로 사라지고, 그 영혼은 잠시 남편 곁에 머물다가 영영 하늘로 올라가 버렸다. 그때 다시 거칠게 낄낄거리는 웃음소리가 들려왔다. 이렇듯 지상의 거친 숙명은, 아직 불완전한 이 희미한 현실 세계 속에서 더 높은 차원의 완전함을 갈구하는 불멸의 본질에 여지없이 승리를 거두고는 환희하는 것이었다. 에일머의 지혜가 더 깊었더라면, 천상의 삶과 지상의 삶을 동일한 직물로 엮어주었을 그 행복을 그렇게 떠나보내지는 않았을 것이다. 지금 당장의 현실이 그에게는 너무나도 견디기 어려운 것이었다. 따라서 그는 시간의 그늘진 영역 저 너머를 보지 못했고, 영원 속에서만 사느라 현재 속에서 완벽한 미래를 찾는 데 실패했던 것이다.

야망이 큰 손님
The Ambitious Guest

9월의 어느 저녁, 한 가족이 난롯가에 둘러앉아 개울에 떠내려 온 나무와 마른 솔방울들, 절벽에서 부서져 내린 큰 나무의 조각들을 난로에 높이 쌓아두고 불을 쬐고 있었다. 굴뚝을 타고 치솟는 불꽃이 방을 널리 비추었고, 아버지와 어머니의 얼굴에는 수수한 기쁨이 어려 있었으며 아이들은 떠들썩하게 웃고 있었다. 맏딸의 모습이 열일곱 살의 행복의 이미지라면 가장 따뜻한 자리에 앉아 뜨개질을 하는 나이 든 할머니의 모습은 늙은 행복의 이미지였다. 그들은 뉴잉글랜드의 가장 황량한 곳에서 마음의 평화를 찾은 것이었다. 가족은 바람이 일 년 내내 매섭게, 특히 겨울에는 무자비할 만큼 차갑게 부는 화이트 힐즈 골짜기에 살았다. 그 바람은 사코 계곡 쪽으로 내리 불기 전 집을 다시 혹독하게 휩쓸고 갔다. 그들이 사는 곳은 추우면서도 위험했는데, 머리 위로 우뚝 솟은 산의 경사가 너무나 가팔라서 돌이 집 주위로 굴러떨어지며 한밤중에 그들을 깜짝 놀라게 하곤 했던 것이다.

딸이 막 농담을 해서 온 가족이 즐겁게 웃고 있을 때였다. 골짜기에서 불어온 바람이 집 앞에 잠깐 멈추는 듯하더니, 비탄과 탄식의 소리를 내며 문을 덜컹덜컹 흔들고는 계곡 쪽으로 사라져갔다. 그 소리는 평소와 별다를 것 없었지만 일순간 그들은 왠지 모를 슬픔을 느꼈다. 그리고 다시 기분이 나아졌을 때 그들은 한 여행객이 빗장을 들어올리는 것을 발견했다. 여행객이 다가오는 것을 알리는 음산한 바람 소리가 그가 집에 들어설 때 울부짖더니 문간에서 신음 소리를 내며 사라지는 바람에 그의 발소리가 들리지 않았던 것이다.

일가족은 비록 고립되어 살았지만 매일 세상과 소통하며 지냈다. 그들이 사는 골짜기의 낭만적인 산길은 한쪽으로 메인 주, 다른 한쪽으로 그린 마운틴스와 세인트 로렌스 해안 사이를 이으며 국내 교역의 혈류가 끊임없이 고동치는 대동맥 역할을 했다. 그들의 집 앞에는 항상 승합 마차가 멈춰 섰고, 지팡이 외에 다른 길동무가 없는 나그네가 말을 나누기 위해 이곳에 들르곤 했다. 그럼으로써 산의 협곡을 지나거나 계곡에 있는 첫 번째 집에 닿기도 전에 고독감에 압도되지 않을 수 있었던 것이다. 포틀랜드 시장으로 향하는 마부가 이곳에서 하룻밤 묵어가기도 했는데, 총각인 경우는 잠들 시간을 넘겨 한 시간 정도 더 앉아 있다가 작별 키스로 산골 아가씨의 입술을 훔치기도 했다. 이곳은 여행객들이 식사비와 숙박비만 내고도 값을 매길 수 없는 가정의 온기까지 느낄 수 있는 옛날식 여인숙이었다. 그리하여 바깥문과 안쪽

문 사이에서 발소리가 들리자 할머니부터 아이들까지 온 가족이 마치 자신들에게 속한, 운명이 연결된 듯한 누군가를 맞으려는 듯 자리에서 일어났다.

문을 연 사람은 한 젊은 남자였다. 처음 그의 표정에는 해질녘에 혼자 거칠고 황량한 길 위를 돌아다닌 사람의 낙담에 가까운 우울함이 깃들어 있었으나, 자신을 맞이하는 따스한 친절에 금세 얼굴이 밝아졌다. 그는 앞치마로 의자를 닦는 늙은 여인부터 자신에게 팔을 내미는 어린아이까지 모두를 마중하러 자신의 심장이 불쑥 튀어나가는 느낌을 받았다. 특히 맏딸과 주고받은 한 번의 눈길과 미소만으로 나그네는 그녀에게 금세 순수한 친밀감을 느끼는 것이었다.

"아! 불이 정말 멋지군요."

그가 소리쳤다.

"더욱이 그 주변에 기분 좋게들 둘러앉아 있으니 말예요. 발레트에서 오는 내내 골짜기가 무슨 커다란 풀무처럼 얼굴에 바람을 하도 뿜어대는 통에 얼얼하네요."

"그럼 지금 버몬트로 가는 길이오?"

집주인이 남자의 어깨에서 가벼운 배낭을 끄르는 것을 도와주며 말했다.

"네, 벌링턴까지 가고도 한참 더 가야 합니다."

그가 대답했다.

"원래는 오늘 밤 이선 크로포드에 도착하려고 했는데, 이런 험한 길에서는 지체되기도 하는 법이죠. 하지만 상관없습니다. 이렇게 멋진 장작불과 즐거운 얼굴들을 보니 마치 여러분이 나를 위해 불을 지펴놓고 내가 도착하길 기다린 것 같더군요. 그러니 나도 여러분과 함께 둘러앉아 편히 있고 싶습니다."

이 솔직담백한 나그네가 의자를 불 쪽으로 끌어당기는 순간, 육중한 발소리 같은 것이 넓고 재빠른 보폭으로 산의 가파른 경사를 거세게 내려오더니 집을 건너뛰어 반대편 절벽에 쾅 부딪치는 소리가 났다. 가족들은 무슨 소리인지 알고는 숨을 죽였고, 손님 또한 본능적으로 숨을 죽였다.

"저 오랜 산이 혹여나 자기를 잊을까봐 두려워 돌을 던진 것이라오."

집주인이 마음을 추스르며 말했다.

"산은 가끔 고개를 끄덕거리면서 내려오겠다고 위협하지만, 우리는 서로 오랜 이웃으로 지금까지 대체로 잘 지내고 있소. 게다가 작정하고 내려온다 해도 우리에게는 근처에 안전한 피난처가 있지."

이제 우리는 나그네가 곰고기로 저녁 식사를 마치고, 타고난 붙임성으로 온 식구와 친한 사이가 되었다고 가정하자. 가족들은 나그네 역시 같은 산골 사람인 양 허물없이 대화를 나누었다. 그는 자존심을 지닌 점잖은 영혼이어서, 부자나 대단한 사람들 사이에서는 오만하고 과묵하지만 낮은 오두막집 문에는 기꺼이 고개를 숙이고 들어가 난롯가에서 가난한 이의 형제나 아들이 되어줄 수도 있었던 것이다. 이 산골짜기의 가정집에서 그는 따스함과 순박한 감성, 그리고 뉴잉글랜드 지방 특유의 지혜를 발견했다. 또한 산봉우리와 협곡으로부터, 낭만적이지만 위험한 집의 문간으로부터 그들이 무심하게 축적해 온 토속적인 우아함도 발견했다. 지금껏 그는 혼자서 멀리까지 여행해 왔는데, 사실상 그의 삶 전체가 고독한 여정이라고 할 수 있었다. 고결할 정도로 신중한 성격 탓에 동무가 될 수도 있었을 사람들로부터 스스로를 단절시켰기 때문이었다. 가족들도 매우 친절하고 호의적이긴 했지만, 모든 가정에는 낯선 사람이 침범할 수 없는 신성한 공간이 필요하다는 식의 그들만의 끈끈한 유대 의식, 크게는 세상과의 단절 의식이 있었다. 하지만 이번 저녁만은 어떤 예언적인 동질감이 세련되고 학식 있는 이 젊은이로 하여금 순박한 산지 사람들에게 마음을 털어놓고, 가족들 또한 똑같이 거리낌 없는 믿음으로써 그에게 응하도록 부추기는 것이었다. 그도 그럴 것이 운명공동체 간의 유대는 혈육보다도 더 강한 법이기 때문이다.

젊은이의 성격에 숨겨진 비밀은 바로 높고도 추상적인 야망이었다. 그는 눈에 띄지 않는 삶을 살지언정 무덤에 묻혀 잊히는 것은 용납할 수 없었다. 이글거리는 욕망은 희망으로, 또 오랫동안 간직한 그 희망은 확신, 그러니까 지금은 아무도 모르게 여행하고 있지만 언젠가, 그가 걷는 동안은 아닐지라도 그의 모든 행적에 영광의 빛이 비치리라는 확신으로 바뀌었다. 후대 사람들은 어둠 속 지금의 시기를 돌이켜보며, 하찮은 영광들이 사라짐에 따라 찬란히 빛날 나그네의 발자취를 좇을 것이다. 그리고 한 천재가 누구의 눈에도 띄지 못한 채 요람을 거쳐 무덤에 들었음을 인정하게 될 것이다.

"아직까지는,"

뺨이 달아오르고 열정으로 눈이 반짝이는 채 손님이 소리쳤다.

"아직은 내가 이룬 것이 없어요. 당장 내일 내가 이 땅에서 사라진다 해도 여러분만큼이나 나를 아는 사람은 아무도 없을 겁니다. 한 이름 없는 젊은이가 해질녘에 사코 골짜기에서 나타나 저녁 때 여러분한테 마음을 터놓고는, 해 뜰 무렵 골짜기를 넘어가 보이지 않게 되었다는 정도 말입니다. 아무도 그 사람이 누군지, 그 방랑객이 어디로 갔는지 묻지 않겠죠. 하지만 나는 내 운명을 완수할 때까지는 죽을 수 없어요. 내 기념비를 세운 후에야 죽음을 받아들일 테니까요."

흐릿한 몽상 가운데 뿜어져 나오는 어떤 자연스러운 감정이 그들 사이에 지속적으로 흘렀고, 가족들은 비록 자신들의 정서와는 사뭇 다를지라도 젊은이의 감정을 어느 정도 이해할 수 있게 되었다. 젊은이는 이내 쑥스러워하며 자신도 모르게 내비친 열정에 얼굴을 붉혔다.

"당신은 나를 비웃고 있군요."

그가 맏딸의 손을 잡고는 자신도 웃으며 말했다.

"마치 내가 주변 마을 사람들의 시선을 끌려고 워싱턴 산 꼭대기에 올라 얼어죽기라도 할 것처럼 내 야망이 터무니없다고 생각하나 보죠. 물론 그것도 한 인물의 조각상에 숭고한 초석이 되어줄 테지만요."

"비록 아무도 우리를 생각해주지 않더라도 이렇게 불 옆에 편안하고 만족스럽게 앉아있는 게 더 낫지 않을까요."

소녀가 얼굴을 붉히며 대답했다.

"내 생각에,"

잠시 생각에 잠겨있던 아버지가 말했다.

"저 젊은이가 하는 말에는 뭔가 자연스러운 데가 있어. 나도 생각이 그쪽으로 흘렀다면 아마 똑같은 감정을 느꼈을 거야. 여보, 이상하지 않소? 저 자의 얘기를 들으면 불가능할 법한 일들도 자꾸 생각하게 되니 말이오."

"가능한 일일지도 모르죠. 남자들은 홀아비가 됐을 때 어떻게 할지 생각해보지 않나요?"

아내가 말했다.

"무슨 소리!"

남편이 다정스럽게 그러나 꾸짖는 듯이 반발하며 소리쳤다.

"에스더, 나는 당신의 죽음을 생각할 때면 나의 죽음도 생각하오. 하지만 나는 바틀렛이나 베들레헴, 리틀턴 혹은 화이트 마운틴스 부근의 마을에 멋진 농장을 하나 가졌으면 했소. 물론 머리 위로 돌이 굴러 떨어지지 않는 곳에 말이오. 나는 이웃들과 잘 지내고, 지주로 불리면서 한두 회기 정도 주의원 노릇도 하고 싶었소. 솔직하고 정직한 자라면 법관으로서의 일도 잘 할 수 있을 테니까. 그리고 서로 오래 떨어져 있지 않도록 내가 나이 지긋한 노인이 되고 당신도 노부인이 되었을 때, 당신이 내 곁에서 우는 가운데 침대에서 행복하게 죽음을 맞길 바랐소. 대리석이 됐든 석판이 됐든 내 묘석에는 오로지 내 이름과 나이, 찬송가의 한 구절, 그리고 내가 정직하게 살았으며 기독교인으로서 생을 마감했다는 것을 알리는 내용 정도만 있어도 충분할 것이오."

"그것 보세요!"

손님이 소리쳤다.

"석판이든, 대리석이든, 화강암으로 된 기둥이든, 인류의 가슴에 기억될 영광스러운 기억이든 간에 어떠한 기념비를 원하는 게 우리네 본성이죠."

"오늘 밤은 좀 이상하네요."

아내가 눈물을 글썽이며 말했다.

"사람들의 마음이 방황하는 건 무슨 징조라고 하던데. 잠깐, 아이들 소리 좀 들어봐요!"

따라서 어른들은 소리에 귀를 기울였다. 이미 어린아이들은 다른 방에 있는 잠자리에 보냈는데, 샛문이 열려 있어서 자기네들끼리 분주하게 떠드는 소리가 들렸던 것이다. 다들 바깥의 난롯가에 둘러앉은 어른들한테 전염이라도 된 듯, 크면 무엇을 할지에 대한 허무맹랑한 바람들과 유치한 계획들을 앞다투어 늘어놓고 있었다. 한참 있다가 작은 사내아이가 형과 누나에게 말하는 대신 엄마에게 외쳤다.

"엄마, 제가 원하는 걸 말해볼게요. 엄마, 아빠, 할머니, 우리 모두랑 저 손님까지 당장 나가서 플룸 분지 개울물을 마시고 오는 거예요."

따뜻한 침대를 떠나 절벽 너머 골짜기 깊은 곳으로 떨어지는 플룸 분지의 개울에 다녀오자며 그들을 즐거운 난롯가에서 이끌어내려는 아이의 발상에 다들 웃음을 터뜨리지 않을 수 없었다.

아이가 말을 마치자마자, 마차 한 대가 길을 따라 달가닥거리며 오더니 문 앞에 잠시 멈춰 섰다. 거기에는 두세 명의 남자가 타고 있는 듯했는데, 그들이 사기를 돋우려고 불러대는 엉성한 합창 소리가 절벽 사이에서 산산이 메아리쳤다. 그동안 그들은 여행을 계속할지, 이곳에서 하룻밤을 묵을지 망설이는 중이었다.

"아빠, 저 사람들이 아빠 이름을 불러요."

만딸이 말했지만, 주인은 그들이 진짜 자신을 불렀는지 의심스럽기도 하거니와 집에 이 사람 저 사람 불러들여서 너무 돈을 밝히는 것처럼 보일까봐 선뜻 문으로 향하지 않았다. 그러자 여행객들은 이내 채찍을 치더니 여전히 노래 부르고 떠들썩하게 웃으면서 골짜기 쪽으로 내려갔다. 그런데 그 노래와 웃음 소리는 산 깊숙한 곳으로부터 음울하게 메아리쳐 돌아오는 것이었다.

"거 봐요, 엄마!"

사내아이가 다시 소리쳤다.

"저 사람들이 플룸까지 태워줄 수도 있었잖아요."

야밤의 나들이에 집착하는 아이의 모습에 또다시 모두들 웃음을 터뜨렸다. 하지만 어쩐 일인지 딸의 마음에는 옅은 구름이 지나는 듯했다. 그녀는 난롯불을 심각하게 바라보며 마치 한숨처럼 숨을 폭 내쉬었다. 그것은 억누르려고 했지만 저절로 새어나온 것이었다. 소녀는 흠칫하며 얼굴을 붉혔고, 사람들에게 자기 마음을 들킨 듯 주변을 재빨리 살폈다. 손님이 그녀에게 무슨 생각을 하는 중이냐고 물었다.

"아무것도 아니에요, 순간 쓸쓸한 느낌이 들어서요."

그녀가 풀죽은 미소를 지으며 대답했다.

"저는 항상 다른 누군가의 마음을 느끼는 재능이 있죠."

반쯤 진지하게 그가 말했다.

"당신의 비밀을 말해볼까요? 어린 아가씨가 따뜻한 난롯가에서 몸을 떨며 엄마 곁에서 쓸쓸하다고 불평하는 이유를 저는 아니까요. 그 느낌이 무잇인지 말해볼까요?"

"말로 표현될 수 있다면 그건 더 이상 소녀의 느낌이 아니겠죠."

산의 요정 같은 처녀가 그의 눈을 피한 채 웃으며 대답했다.

이러한 대화는 오직 둘 사이에서만 이루어졌다. 아마 사랑의 싹이 그들의 마음에서 자라나는 모양이었다. 그것은 너무도 순수해서 지상에서 무르익기보다는 천국에서 피어날 법한 것이었다. 여자라면 젊은 이가 지닌 그러한 점잖은 품위를 우러러볼 것이며, 자신만만하고 사려 깊으며 친절한 사내의 영혼 또한 소녀의 이 같은 순박함에 사로잡히고 마는 것이다. 하지만 서로 부드럽게 이야기를 나누며 그가 소녀의 행복한 슬픔, 밝은 그늘과 수줍은 열망을 지켜보는 동안, 산골짜기에 부는 바람 소리는 한층 더 깊고 음울해져 갔다. 상상력이 풍부한 손님의 말마따나 그 소리는 오래전 인디언 시대에 이 산에 터를 잡고 산꼭대기부터 깊은 골짜기까지 모두를 성역으로 삼았던 바람의 정령들이 합창하는 선율 같았다. 게다가 길에서는 마치 장례 행렬이라도 지나듯 곡소리가 들렸다. 우울함을 쫓기 위해 가족들은 소나무 가지를 불 속에 던져 넣었고, 마른 잎들에서 딱딱 소리가 나며 불길이 일자 다시 평화롭고 소박한 행복의 순간이 찾아왔다. 불빛이 다정히 주위를 맴돌며 그들을 어루만져 주었다. 저쪽에서는 아이들의 조그만 얼굴이 침대 밖을 흘끔거리고 있었고, 이쪽에는 건장한 체격의 아버지와 부드럽고 사려 깊은 모습의 어머니, 교양 있는 젊은이와 이제 막 피어나는 꽃봉오리 같은 소녀, 그리고 여전히 가장 따뜻한 곳에서 뜨개질을 하는 인심 좋은 할머니가 함께 모여 있었다.

그때 할머니가 고개를 들더니, 여전히 바쁘게 손을 놀리며 다음으로 말을 꺼냈다.

"늙은이들도 젊은 사람들처럼 자기만의 생각이 있지. 너희들이 무언가를 바라고 계획하면서 이리저리 머리를 굴리는 걸 보니 늙은 내 마음도 덩달아 들뜨는구나. 이제 무덤까지 한두 발짝밖에 안 남은 이 늙은이는 무얼 바랄 것 같으니? 너희들에게 털어놓지 않으면 온종일 그 생각에 사로잡힐 것 같구나."

"그게 뭐예요, 어머니?"

부부가 동시에 물었다.

그러자 할머니에게서 풍기는 알 수 없는 기운이 그들을 난롯불로 더 가까이 이끌었고, 그녀는 자신이 몇 년 전 수의를 장만했다고 말했다 – 질 좋은 아마천 수의에 면으로 된 주름깃이 달린 모자 등 모든 것이 결혼식 이래 입었던 어떤 옷보다도 훌륭했다. 하지만 이날 저녁에는 이상하게도 노인에게 오래된 미신 하나가 떠오르는 것이었다. 자신이 어릴 적에 듣기로 시체의 모양새가 제대로 갖춰지지 않으면 – 예컨대 주름깃이 제대로 안 펴졌다거나 모자가 제대로 안 씌워졌다면 – 그것이 흙 밑의 관 속에서 차디찬 손으로 스스로를 정돈하려 애쓴다는 것이었다. 그런 생각만으로도 노인은 신경이 곤두섰다.

"그런 말씀 마세요, 할머니."

소녀가 몸서리치며 말했다.

"이제 말이다,"

사뭇 진지하지만 스스로도 터무니없다는 듯 기묘한 웃음을 지으며 힐머니는 말을 이었나.

"내가 수의를 입고 관 속에 들어가면 너희들 중 하나가 얼굴에 거울을 좀 비춰주렴. 제대로 다 갖춰졌는지 살펴봐야 할 수도 있잖니."

"나이가 많든 적든 우리는 스스로의 무덤과 기념비를 원하죠."

그 낯선 젊은이가 중얼거렸다.

"뱃사람들은 만약에 배가 가라앉아서 아무도 모르게 그렇듯 드넓고 이름 없는 바다에 수장된다면 어떤 느낌이 들는지 궁금하군요."

그 시각 노인의 섬뜩한 생각에 온통 정신이 팔린 이 불운한 자들은, 밤을 뒤덮은 바람 소리가 마치 광풍의 포효처럼 커지면서 점점 더 넓고 깊고 끔찍해져 가는데도 미처 알아차리지 못했다. 집과 집안의 모든 것이 진동했고, 끔찍한 바람 소리가 마치 최후의 나팔 소리인 양 지반이 흔들리는 듯했다. 그러자 젊은이와 늙은이 할 것 없이 거친 눈빛을 주고받더니, 한마디 말이나 움직일 힘도 없이 이내 새하얗게 공포에 질렸다. 그러고는 모두의 입에서 하나같이 비명이 터져나왔다.

"산사태야! 산사태야!"

이 외마디 말은 형언할 수 없는 대재앙의 공포를 비록 제대로 묘사하지는 못해도 암시하기에는 충분했다. 불쌍한 희생양들은 집에서 뛰쳐나가 이러한 위험에 대비하여 장벽을 세워놓은, 자신들이 더 안전하게 여기던 피난처로 향했다. 아아, 그러나 도리어 그들은 안전을 포기하고 파멸의 길 한복판으로 뛰어든 것이나 다름없었다. 산비탈이 모두 무너져내려 잔해가 폭포처럼 쏟아졌지만, 집에 닿기 직전 그 폭포는 두 갈래로 갈라져 집은 창문 하나조차 건드리지 않은 대신 그 근방을 전부 집어삼키고, 길을 막고, 무시무시한 기세로 지나는 길의 모든 것을 전멸시켰던 것이다. 산등성이에 울려 퍼지던 거대한 산사태의 굉음이 그치기 오래 전, 희생양들은 이미 죽음의 고통을 겪고 고이 잠든 후였다. 그들의 시체는 영영 발견되지 않았다.

다음 날 아침, 엷은 연기가 오두막 굴뚝에서 새어 나와 산비탈로 피어오르는 것이 보였다. 집 안에서는 난롯불이 여전히 타오르고 있었고 그 주위를 둥글게 둘러싼 의자도 그대로였다. 마치 그곳 사람들이 산사태의 참상을 살펴보러 나갔다가 곧 돌아와서는 기적적으로 재앙을 피한 것에 대해 하늘에 감사하기라도 할 것처럼 말이다. 가족들은 그들과 알고 지내던 사람들로 하여금 눈물을 떨구게 한 각자만의 징표가 있었다. 누가 그들의 이름을 들어보지 않았겠는가? 이 이야기는 먼 곳까지 널리 퍼져나갔고, 이 산에 얽힌 하나의 전설로 영영 남을 것이었다. 시인들도 이들의 기구한 운명을 노래해오고 있다.

몇몇은 정황으로 보아 이 끔찍했던 밤에 한 낯선 손님이 오두막에 들어왔다가 가족들과 함께 변을 당했을 것이라고 추측했다. 하지만 다른 이들은 그런 추측에 충분한 근거가 없다고 생각했다. 속세에서의 불후한 명성을 꿈꾸던 고상한 젊은이에게 어찌 비통한 일이 아닐 수 있을까! 그의 이름과 실체는 전혀 알려진 바 없고, 그의 개인사, 삶의 방식과 계획 또한 절대 풀리지 않을 수수께끼로 남았으며, 그의 죽음과 실존조차 모두 불분명했다 — 죽음의 순간, 그 고통은 누구의 것이었을까?

미(美)의 예술가
The Artist of the Beautiful

나이 든 한 남자가 어여쁜 딸과 팔짱을 끼고 길을 걷고 있었다. 그는 구름 낀 저녁의 어둠 속에서 벗어나, 작은 가게의 창에서 새어나온 불빛이 도로를 가로질러 비추는 곳에 모습을 드러냈다. 그 창은 밖으로 튀어나와 있었는데, 그 안에는 합금 및 은, 금으로 된 다양한 시계들이 마치 행인들에게 시간을 보여주지 않으려는 듯 야박하게 거리를 등진 채 걸려 있었다. 가게 안 창문 옆에는 한 젊은 남자가 창백한 얼굴로 앉아서 갓이 달린 램프의 불빛이 내리쬐는 정교한 기계 조각에 열심히 고개를 기울이고 있었다.

"오웬 월랜드가 도대체 뭘 하고 있는 거지?"

나이 든 피터 호벤든이 중얼거렸다. 그는 은퇴한 시계 제조공이자 지금 뭘 하고 있는지 궁금해하는 저 젊은이의 옛 스승이기도 하였다.

"저 친구가 도대체 뭘 하고 있는 거야? 지난 여섯 달 동안 가게를 지날 때마다 지금처럼 저러고 있단 말이지. 영속적인 운동법을 찾아내려는 예의 그 바보 같은 짓을 넘어서 뭔가 더 해보려는 듯한데. 내 오랜 경험으로 볼 때 저 친구가 저리 열심히 하는 일은 시계 장치랑 전혀 상관없는 게 분명해."

"아마도 오웬이 새로운 종류의 시계를 발명하는 중인가 보죠, 아버지. 확실히 그럴 만할 창의성도 있구요."

애니가 아버지의 질문에 시큰둥하게 대답했다.

"허, 얘야! 저 아이의 창의성은 고작 네덜란드제 장난감이나 만들 수준이란다."

이전에 오웬의 비정상적인 재능 탓에 꽤나 골머리를 앓던 아버지가 대답했다.

"저 빌어먹을 창의성! 그 결과랍시고 내가 아는 거라고는 내 가게에서 가장 좋은 시계들의 정밀도를 망친 것밖에 없어. 저 녀석은 아마 태양도 제 궤도에서 이탈시켜서 시간의 흐름을 전부 어지럽히고 말 게야. 만약 그 창의성을 일전에 말한 대로 아이들 장난감이 아니라 더 큰데다 쓸 수 있다면 말이지!"

"쉿, 소리 줄이세요, 아버지! 듣겠어요."

애니가 노인의 팔을 꾹 누르며 속삭였다.

"저 사람의 귀는 자기 감정만큼이나 예민해서 얼마나 쉽게 방해받는지 아시잖아요. 어서 가요."

따라서 피터 호벤든과 딸 애니는 더 이상의 말 없이 마을 뒷골목 대장간의 열린 문 앞을 지날 때까지 터벅터벅 걸었다. 대장간 안으로는 용광로가 보였는데, 풀무의 가죽 주머니가 연기를 내뿜었다가 빨아들일 때마다 불길이 높고 침침한 천장을 비추었다가 다시 잦아들며 석탄이 흩뿌려진 바닥 일부를 비추었다. 불빛이 환할 때는 대장간 구석진 곳의 물건들과 벽에 걸린 편자들을 분간할 수 있었지만, 다시 어두워지면 아득히 광활한 공간 속에 불빛만이 가물거리는 듯 보였다. 시뻘건 불빛과 어둠이 엇갈리는 가운데 오가는 대장장이의 형체는, 밝은 불빛과 캄캄한 밤이 서로에게서 그의 잘생긴 기운을 뺏으려는 데서 생기는 빛과 그늘로 된 한 폭의 그림 속에서 꽤 근사하게 보였다. 곧 대장장이는 석탄 속에서 백열의 쇠막대기를 꺼내어 모루 위에 올려놓고는 힘센 팔을 들어올려 망치질을 했다. 그러자 주변의 어둠 속으로 흩어지는 수많은 불똥이 그를 둘러쌌다.

"그거 참 보기 좋구나."

늙은 시계 제조공이 말했다.

"금으로 하는 일은 내가 잘 알지. 하지만 다 겪어보니 결국은 쇠를 가지고 일하는 사람이 더 낫더구나. 그는 현실적인 일에 힘을 기울이잖니. 애니 네 생각은 어떠냐?"

"제발 목소리 좀 낮추세요, 아버지. 로버트 댄포스가 듣겠어요."

애니가 속삭였다.

"들으면 뭐 어떠냐? 다시 말하지만 자신이 가진 온 힘과 현실에 기대어 사는 것, 대장장이같이 튼튼한 맨팔로써 벌어먹고 사는 것이야말로 훌륭하고 건전한 일이지. 시계 제조공은 시계 속 톱니바퀴들을 들여다보년서 머리가 지끈거리거나 나처럼 건강이나 좋은 시력을 잃어버리곤 하지. 중년이 지나서는 자기 일도 못 하게 되고, 그렇다고 다른 것도 못하는데 편안히 살기에는 여전히 가진 게 없고 말이야. 그래서 다시 말하지만 힘으로써 벌어먹는 게 좋다는 게야. 그래야 사람이 허튼 생각을 못 하니까. 대장장이가 저 오웬 월랜드처럼 어리석다는 말은 한 번도 들어본 적 없을 게다."

"거 말씀 한번 잘하셨네요, 호벤든 어르신!"

대장간에서 로버트 댄포스가 지붕이 울릴 만큼 크고 깊으면서도 유쾌한 목소리로 외쳤다.

"애니 아가씨께서는 어르신의 그 신념을 어떻게 생각하실까요? 제가 보기에는 편자나 석쇠 따위를 만드는 것보다 숙녀 분들의 시계를 손보는 게 더 고상하다고 생각하실 것 같은데요."

애니는 아버지가 대답할 겨를도 없이 가던 길을 계속 가도록 그를 잡아끌었다.

하지만 우리는 오웬 월랜드의 가게로 다시 돌아가, 피터 호벤든이나 딸 애니, 혹은 오웬의 옛 동창인 로버트 댄포스가 그런 사소한 문제에 들였을 시간보다 더 오래 그의 개인사나 성격에 대해 고찰해보아야 할 것이다. 오웬은 작은 손가락으로 주머니칼을 겨우 쥘 수 있게 된 어린 시절부터 남달리 정교한 재주가 있어서, 가끔 꽃이나 새 형상을 주로 띤 멋진 목각품을 만들거나 기계 장치에 숨겨진 신비를 캐내려고는 했다. 하지만 그것은 어디까지나 아름다움 그 자체가 목표였지 유용한 물건을 흉내내려는 것과는 전혀 상관이 없었다. 그는 다른 사내아이 직공들처럼 헛간 모퉁이에 조그만 풍차를 짓거나 근처 개울을 가로지르는 물방앗간 따위는 만들지 않았다. 어린 오웬에게서 그러한 독특한 구석을 발견하고 그를 유심히 관찰한 사람들은, 종종 그가 새의 날갯짓이나 작은 동물들의 동작 같은 대자연의 아름다운 움직임을 모방하려 한다는 사실을 알 수 있었다. 그것은 아름다움에 대한 사랑의 시작과도 같아서 순수예술에서나 볼 수 있는, 실용적인 조악함으로부터 완전히 정제된 것이었으며 오웬을 시인이나 화가, 조각가로 만들어줄 수도 있었다. 반면 그는 평범한 기계의 딱딱하고 규칙적인 작동 방식에는 유난히 혐오감을 보였다. 한번은 기계 원리에 대한 그의 직관적인 이해력을 충족시켜주리라는 기대로 누군가 그에게 증기 기관차를 보여주었더니, 마치 끔찍하고 비정상적인 것이라도 본 듯 얼굴이 하얗게 질리고 메스꺼워하는 것이었다. 그러한 공포는 그 철제 기관차의 거대한 크기와 무시무시한 힘에서 어느 정도 기인한 것이었다. 왜냐하면 오웬의 정신적 특성은 자그마한 체구와 놀랍도록 섬세한 힘을 지닌 그의 작은 손가락에 걸맞게 지엽적이었으며 세세한 것에 자연스레 이끌렸기 때문이었다. 그렇다고 해서 그의 미적 감각이 예쁘장한 것에만 국한된 것은 아니었다. 아름다움의 관념은 크기와 상관이 없어서, 현미경으로나 관찰 가능한 아주 작은 영역부터 무지개의 호로 측정될 만큼 드넓은 지평선에 이르기까지 어디서든 완벽히 발달될 수 있는 것이었다. 어쨌든 목적과 성취에 있어 오웬 월랜드 특유의 이런 세밀함 탓에 세상은 그렇지 않을 때보다 더욱 더 그의 천재성을 인정해주기 힘든 것이었다. 따라서 친척들은 그의 기이한 재능이 실용적인 목적에 제한되기를 바랐고, 그를 시계 제조공의 도제로 보내는 것이 최선이라고 생각했으며 아마 그것은 사실이었을 것이다.

제자에 대한 피터 호벤든의 생각은 앞서 언급한 바 있다. 스승은 그 젊은이를 도무지 이해할 수 없었다. 사실 직업상의 비밀에 대한 오웬의 이해력은 믿기지 않을 만큼 빨랐지만, 그는 시계공 일의 원대한 목적을 까맣게 잊어버리거나 경멸했으며 마치 시간이 영원 속에 녹아든 양 시간을 재는 일에는 신경조차 쓰지 않았다. 오웬이 유순했던 덕분에 늙은 스승의 밑에서 관리받는 동안은 엄한 지시와 날카로운 감시로써 그의 창조적인 기벽이 어느 정도 제한될 수 있었다. 하지만 도제 기간이 끝나고 피터 호벤든의 시력이 나빠져 어쩔 수 없이 그 작은 가게를 오웬이 물려받게 되면서, 사람들은 그가 '시간'이라는 눈 먼 아버지를 하루하루 인도해나가는 데 얼마나 부적합한 인물인지 깨달았다. 그에게는 가장 합리적인 계획이라는 것이 음악 연주를 시계 장치와 연결시켜 삶의 온갖 거친 불협화음을 아름다운 선율로 만들고, 금세 사라져 버리는 순간순간이 화음의 금빛 방울이 되어 과거의 심연으로 떨어지도록 하는 것이었기 때문이었다. 만약 어떤 가정용 시계 – 여러 세대의 일생을 측정하면서 인간의 본성과 합쳐지다시피 한 오래되고 키 큰 종류의 시계 – 의 수리를 맡으면, 그는 그 존엄한 시계판 위에 즐거운 하루 열두 시간을 상징하는 무도회 혹은 우울한 하루 열두 시간을 상징하는 장례 행렬 장면을 선보이는 것이었다. 이러한 몇몇 괴상한 행동들 때문에, 시간은 하찮은 대상이 아니라 세상이 발전하고 번영하거나 내세를 준비하게 하는 수단이라고 여기는 착실하고 사무적인 손님들 사이에서 젊은 시계 제조공의 평판은 제법 망가지고 말았다. 손님들 또한 빠르게 줄었는데, 그러한 불운은 오웬 월랜드에게는 그나마 다행인 사고들에 속하는 것이었다. 그는 자신의 과학 지식과 뛰어난 손재주, 특유의 천재적 기질을 모조리 동원할 정도로 비밀 작업에 더욱 빠져들었던 것이다. 이렇듯 일한 지가 벌써 여러 달이 지난 상태였다.

늙은 시계 제조공과 어여쁜 딸이 거리의 어둠 속에서 그를 지켜보고 난 후, 오웬 월랜드는 신경 불안에 사로잡혀 너무나 심하게 손이 떨린 나머지 지금껏 하던 섬세한 작업을 도무지 이어갈 수 없었다.

"그녀는 애니였어!"

그가 중얼거렸다.

"그녀 아버지의 목소리가 들리기 전에 이 심장의 고동을 느끼고는 알아챘어야 하는데. 아, 심장이 어찌나 뛰는지! 오늘 밤은 이 정교한 기계 작업에 더는 집중할 수 없겠군. 나의 사랑 애니! 당신은 나의 심장과 손을 굳게 붙들고 흔들지 말아야 해요. 왜냐하면 내가 아름다움의 정수에 형태를 부여하고 그것을 움직이게 하려는 건 오직 당신을 위해서이기 때문이지. 고동치는 심장아, 잠잠해져라! 이렇게 작업을 중단해버리면 오늘 밤 꿈자리가 몽롱하고 불쾌할 테고, 내일 결국 맥을 못 출 거야."

그가 일에 다시 집중하기 위해 애쓰고 있을 때, 가게 문이 열리더니 피터 호벤든이 멈춰 서서 찬양해 마지않던 대장간의 명암 속 바로 그 건장한 인물이 들어왔다. 로버트 댄포스는 젊은 예술가가 최근에 주문

하여 사신이 특별히 제작한 작은 모루를 들고 온 것이었다. 오웬은 물건을 찬찬히 살펴보더니 자신이 원하던 대로 잘 만들어졌다고 했다.

"그렇겠지."

로버트 댄포스는 마치 베이스 비올라 같은 강렬한 저음으로 가게를 가득 메우며 말했다.

"내 일에 관해서라면 나는 뭐든지 자신 있네. 비록 이런 손으로 자네의 그런 일을 한다면 형편없겠지만 말이야."

그가 자신의 커다란 손을 오웬의 고운 손 옆에 갖다 대더니 웃으며 덧붙였다.

"하지만 뭐 어떤가? 나는 망치질 한 방에 자네가 도제일 적부터 쏟아부은 모든 힘보다 더한 힘을 담아내거든. 안 그런가?"

"그렇고말고."

가냘프면서도 가라앉은 목소리로 오웬이 대답했다.

"힘이라는 것은 속세의 괴물일 뿐이니 허세 따위는 부리지 않겠어. 내게 힘이 얼마나 있건 간에 그것은 전부 정신적인 것이야."

"그런데 자네 뭘 하고 있나?"

옛 동창이 여전히 우렁찬 목소리로 묻는 바람에, 특히나 그 질문이 자신을 사로잡은 상상 속 꿈과 같은 신성한 문제에 관한 것이어서 예술가는 그만 움츠러들었다.

"사람들이 말하길 자네가 영속적인 운동법을 발견해내려고 한다던데."

"영속적인 운동? 말도 안 되는 소리!"

오웬 월랜드는 자잘한 심술로 가득 차서는 혐오스럽다는 몸짓을 하며 답했다.

"그런 건 절대 발견될 수 없어. 물질에 정신이 홀린 사람이나 빠질 법한 이상이지 나는 그런 데 현혹되지 않아. 게다가 발견이 가능하다 해도 그 비밀이 기껏해야 증기력과 수력을 필요로 하는 그런 목적에나 쓰인다면 나에게는 아무런 의미도 없어. 나는 새로운 면직기를 발명했다는 식의 영광을 바라는 야심가가 아니라고."

"만약 그렇게 된다면 우습기는 하겠군!"

대장장이가 이렇게 소리치며 갑자기 웃음보를 터뜨리는 바람에 오웬은 물론 작업대 위에 있는 종 모양의 유리 기구들까지 일제히 진동했다.

"하지만 그럴 리 있겠나, 오웬! 자네의 자식들 중 그 누구도 무쇠 같은 관절이나 근육을 타고날 수는 없을 거야. 자, 이제 더 이상 방해하지 않겠네. 잘 있게, 오웬, 하는 일 성공하길 바라네. 그리고 모루를 내리치는 망치질이라도 필요하거든 언제든 도와주지."

그러고는 또다시 웃음을 터뜨리며 그 힘센 사나이는 가게를 떠났다.

"참 이상해,"

오웬 월랜드가 손에 머리를 괸 채 혼자 중얼거렸다.

"내 모든 생각들, 목적들, 아름다움에 대한 열정과 그것을 창조하는 힘 – 이 속세의 거인은 전혀 알 수 없는 더욱 섬세하고 영적인 힘 – 에의 자각, 이 모두가 로버트 댄포스와 엮이기만 하면 너무나 헛되고 부질없이 느껴진단 말이지! 저 자를 자주 만나기라도 하면 아마 미쳐버리고 말 거야. 그의 드세고 야만적인 힘은 내 안의 정신적 요소를 흐리고 어지럽히지. 하지만 나도 내 나름대로 강해져서 그한테 굴복하지 않겠어."

오웬은 유리판 아래에서 매우 작은 기계 조각을 꺼내어 램프 불빛이 내리쬐는 곳에 놓고, 돋보기로 그것을 주의 깊게 들여다보며 정교한 철제 도구로 작업을 계속했다. 그러나 이내 의자에 털썩 주저앉아 두 손을 꼭 움켜쥐었다. 얼굴에 떠오른 공포 때문에 그의 작은 이목구비는 마치 거인의 얼굴 못지않게 인상적으로 보였다.

"맙소사! 내가 도대체 뭘 한 거지?"

그가 탄식했다.

"그 헛된 망상, 야만적인 힘의 영향력이 나를 어지럽히고 내 지각을 흐려버렸어. 내가 처음부터 두려워해 마지않던 바로 그 손동작, 그 치명적인 동작을 해버렸어. 수 개월간의 고생이, 내 삶의 목적이 모두 물거품이 되어버린 거야. 난 망했어!"

램프의 전구 불빛이 가물거리다가 그를 어둠 속에 남겨둘 때까지 미의 예술가는 낯선 절망 속에 우두커니 앉아있었다.

상상 속에서 자라나 아름다워 보이며, 인간이 가치롭다 말하는 그 어떤 것보다도 값진 관념들은 그렇듯 현실에 부딪쳐 산산조각 나고 전멸할 위험에 처하는 것이었다. 이상주의적인 예술가에게는 섬세함과 거의 양립할 수 없는 강인함 또한 필수였다. 회의적인 세상이 철저한 불신으로 그를 몰아붙일 때에도 스스로에 대한 믿음을 지켜야 하며, 자신의 재능과 그것이 향하는 목표를 존중함으로써 스스로의 유일한 신봉자가 되어 인류에 맞서야만 하는 것이다.

　얼마간 오웬 월랜드는 이렇듯 모질지만 피할 수 없는 시련 앞에 굴복하였다. 더디게 몇 주가 흐르는 동안 그는 계속해서 손에 머리를 괸 채 실의에 빠져 지냈고, 마을 사람들은 그의 얼굴을 거의 볼 수 없었다. 마침내 오웬이 한낮의 햇빛을 향해 고개를 쳐들었을 때, 그의 얼굴에는 차갑고 무디면서도 형언하기 힘든 어떤 변화가 눈에 띄었다. 그러나 피터 호벤든과 더불어 삶은 무거운 추가 달린 시계처럼 통제되어야 한다고 생각하는 현명한 집단에 따르면 오웬의 그러한 변화는 전적으로 나아진 것이었다. 실제로 오웬은 이제 끈기 있고 성실하게 시계 일에 몰두했다. 낡고 큰 은시계의 톱니바퀴를 들여다볼 때의 무심하고 진지한 그의 모습은 놀라울 정도였는데, 그럼으로써 시계를 자기 삶의 일부로 여길 만큼 오랫동안 주머니에 넣고 다니며 쉽사리 남에게 맡기지 못했던 주인의 마음을 흡족하게 하는 것이었다. 그리하여 얻은 좋은 평판의 영향으로 오웬 월랜드는 마을로부터 교회 첨탑의 시계를 손봐달라는 요청을 받기에 이르렀다. 그리고 그러한 공익적인 일을 너무나 훌륭하게 해낸 나머지 상인들은 오웬이 자신들의 거래에 기여한 공을 무뚝뚝하게나마 인정하였고, 간호사는 병실에 제때 약을 가져다주면서 그를 칭찬했으며, 연인들은 만나기로 한 약속 시간에 그를 축복하였고, 마을 사람들은 저녁 시간을 지킬 수 있어 그에게 감사하는 것이었다. 한마디로 그의 영혼을 짓누르는 커다란 무게는 자신의 체계에서뿐 아니라 교회 시계의 쇠종 소리가 들리는 곳이면 어디든 질서를 부여했다. 오웬이 은숟가락에 이름 혹은 머리글자를 새겨달라는 의뢰를 받았을 때, 지금껏 이러한 작업들에서 그를 특징지었던 여러 공상적인 장식들을 생략하고 필요한 글자만을 가능한 한 꾸밈없이 적게 된 것은 사소하게나마 그의 현재 상태를 보여주는 특징이 되었다.

이렇듯 바람직한 변화가 지속되던 어느 날, 피터 호벤든이 그의 옛 제자를 찾아왔다.

"오웬, 사방에서 자네에 대한 칭찬을 들으니 기쁘군. 특히 하루 매시간 자네를 칭찬하는 저 마을 시계 소리를 들으면 말이야. 나뿐 아니라 그 누구도, 심지어 자네조차도 이해할 수 없는 그 아름다움에 대한 말도 안 되는 잡념을 모두 버리기만 한다면 ― 거기서 스스로 벗어나기만 하면 성공은 한낮의 빛처럼 분명해질 게야. 이렇게만 계속하면 자네한테 나의 이 소중하고 오래된 손목시계까지 수리를 맡길 생각도 있네. 내 딸 애니를 제외하고 세상에서 제일 소중한 시계를 말일세."

"제가 어떻게 감히 그 시계에 손을 대겠습니까."

오웬이 풀죽은 목소리로 말했다. 옛 스승과 같이 있다 보니 기가 눌렸던 것이다.

"조만간 가능하게 될 걸세."

스승이 말했다.

늙은 시계 제조공은 옛 스승으로서 거리낌 없이 오웬이 지금 하는 일은 물론 진행 중인 다른 일들까지 살펴보았다. 그동안 예술가는 좀처럼 고개를 들 수 없었다. 물질계에서도 가장 농후한 물질 외에 그 모든 것을 공상으로 만들어버리는, 노인의 차갑고 상상력 따위 없는 명민함처럼 그의 본성과 정반대되는 것은 없었다. 오웬의 영혼은 신음하며 그에게서 벗어나기를 간절히 바랐다.

"근데 이건 뭐지?"

먼지 앉은 종 모양의 유리 그릇을 들어올리며 갑자기 피터 호벤든이 소리쳤다. 그 밑에는 마치 나비 몸체의 구조처럼 아주 작고 섬세한 기계 같은 것이 있었다.

"이게 뭔가, 오웬! 이 작은 사슬과 톱니바퀴, 주걱들에 요술이 깃들어 있어. 보게! 이것들을 손가락으로 눌러서 자네를 훗날의 위험에서 구해주겠네."

"오, 제발!"

오웬 월랜드가 놀라운 기력으로 펄쩍 뛰어오르며 소리쳤다.

"저를 미치게 하고 싶지 않으면 건들지 마세요! 아주 살짝이라도 누르는 순간 저는 영원히 파멸할 거예요."

"하, 이 젊은이야! 그렇단 말이지?"

늙은 시계 제조공은 오웬의 영혼을 고문할 만큼 세상의 쓰디쓴 비판의 시선으로 그를 뚫어지게 쳐다보며 말했다.

"그럼 마음대로 하게. 하지만 다시 경고하건대 이 작은 기계에는 자네의 악령이 깃들어 있네. 내가 그것을 몰아내도 되겠나?"

"당신이 바로 나의 악령이에요."

오웬이 한껏 흥분하여 대답했다.

"당신과 저 가혹하며 거친 세상 말이에요! 당신이 나에게 씌운 무거운 생각들과 절망감이 바로 내 장애물이었다구요. 안 그랬다면 저는 이미 오래 전에 타고난 사명을 완수했을 겁니다."

피터 호벤든은 경멸과 분노가 뒤섞인 표정으로 고개를 가로저었다. 호벤든으로 대표되는 사람들은, 길거리에 널린 것 외에 다른 소중한 어떤 것을 찾으려는 얼간이들에게 당연히 그런 감정을 느낄 권리가 있다고 여기는 것이었다. 노인은 별수 없다는 듯 손가락을 들어올리고는 이후 수많은 밤 꿈속에 나타나 예술가를 괴롭힌 조롱의 표정을 지으며 자리를 떠났다. 늙은 스승이 방문했을 때 오웬은 아마 포기하고 있었던 그 일을 다시 시작하려던 참이었을 것이다. 하지만 이 불행한 사건으로 말미암아 그는 자신이 서서히 벗어나고 있던 원래의 상태로 다시 내던져지고 만 것이었다.

하지만 그의 영혼이 타고난 경향은, 겉으로는 부진해보여도 그동안 새로운 힘을 축적할 뿐이었다. 여름이 지나는 동안 오웬은 시계 일을 거의 내팽개치고 '시간'이라는 노신사, 즉 자신이 지배하는 벽시계나 회중시계로 표현되는 그 노신사가 인간사를 정처 없이 배회하며 황망히 흐르는 시간 속에 끝없이 혼란을 일으키도록 내버려두었다. 사람들의 말에 따르면 오웬은 숲과 들판, 개울둑을 서성이며 낮의 햇살을 허비하곤 했는데, 거기서 그는 아이처럼 나비를 쫓거나 수생 곤충의 움직임을 관찰하는 것을 즐겼다. 그처럼 살아있는 장난감들이 산들바람에 즐겁게 노니는 모습을 바라보거나 잡아놓은 화려한 곤충의 구조를 살펴보는 오웬의 집념에는 진실로 이해하기 힘든 구석이 있었다. 나비를 쫓는 것은 그가 수많은 소중한 시간을 들여 이상을 추구하는 것에 대한 적절한 상징이었다. 하지만 그 아름다운 이상이 그것을 상징하는 나비처럼 그의 손에 쥐어질 수 있는 것일까? 그러한 나날들은 의심의 여지없이 예술가의 영혼에 달콤하고 즐거운 시간들이었다. 또한 그 시간들은 마치 나비가 공중에서 반짝이며 날듯이 그의 머릿속 세계를 번뜩이며 가로지르는 현란한 생각들로 넘쳐났다. 잠깐이지만 그 생각들은 육체의 눈에 그것들을 보이게 하는 데 따른 수고나 당혹감, 좌절감 없이도 그에게 실재했다. 아아, 예술가는 시를 쓰든 다른 것을 하든 아름다움을 내적으로 즐기는 것에서 만족하지 못하고, 정신적 영역 저 너머로 훨훨 날아다니는 신비를 좇아 그 연약한 것을 육체의 손길로 움켜쥐어 으스러뜨려야만 하는 것이었다. 자신의 풍부한 상상력을 제대로 구현하지 못해 더 흐리고 희미한 아름다움만을 세상에 선보일 수밖에 없었던 여느 시인이나 화가들처럼, 오웬 월랜드 또한 자신의 생각에 외적인 실체를 부여하려는 충동을 억누를 수 없었다.

밤 시간은 오웬이 자신의 모든 지적 활동의 근간이 되는 하나의 발상을 재창조하는 더딘 과정의 시간이었다. 그는 항상 땅거미가 질 즈음 마을에 몰래 들어와서는 가게 안에 틀어박혀 몇 시간이고 끈기 있게 섬세한 작업을 계속해 나갔다. 온 세상이 잠든 시간, 그는 가끔 가게 덧문 틈으로 새어나오는 불빛을 보고 야경꾼이 문을 두들기는 소리에 깜짝 놀라곤 했다. 그의 정신이 병적으로 예민한 상태에서 한낮의 햇빛은 그의 작업을 방해하는 것처럼 느껴졌다. 따라서 흐리고 궂은 날이면 그는 손으로 머리를 받치고 앉아 자신의 민감한 뇌를 몽롱한 사색의 안개로 감쌌는데, 그럼으로써 생각을 날카롭고 명료하게 다듬어야 하는 밤샘 노동의 긴장에서 벗어나 쉴 수 있었기 때문이었다.

어느 날 그처럼 몽롱한 상태에서 그는 애니 호벤든의 방문으로 정신을 차렸다. 그녀는 손님으로서 자유롭게, 또한 어릴 적 친구로서 친근한 태도로 방문했는데, 닳아서 구멍이 난 자신의 은골무를 수선해주기를 원했던 것이다.

"하지만 당신이 이런 하찮은 일을 해줄지 모르겠네요."

그녀가 웃으며 말했다.

"지금은 기계에 영혼을 불어넣는다는 그 일념에 빠져 계시니까요."

"그런 생각은 어디서 난 거죠, 애니?"

오웬이 놀라서 물었다.

"오, 그저 제 생각이에요."

그녀가 대답했다.

"그리고 아주 예전에 우리가 어렸을 때 당신이 했던 말을 듣고도 느꼈죠. 아무튼 이 하찮은 골무를 수선해 주실 건가요?"

"당신을 위해서라면 뭐든지 하겠어요."

오웬 월랜드가 말했다.

"뭐든지 말예요. 로버트 댄포스의 대장간에서 일하는 것까지도."

"그렇게 된다면 참 볼 만하겠네요!"

애니가 예술가의 작고 가냘픈 체구를 은근히 무시하듯 쳐다보며 대꾸했다.

"여기 골무요."

"그런데 물질에 영혼을 불어넣는다는 당신의 그 생각은 참 희한하군요."

오웬이 말했다.

그때 문득 오웬은 이 젊은 아가씨가 세상 누구보다 자신을 잘 이해해줄 수 있을 거라는 생각이 들었다. 그가 사랑하는 유일한 존재로부터 자신의 외로운 노고를 공감 받을 수 있다면 얼마나 큰 도움과 힘이 될 것인지! 자신이 추구하는 것이 일상과 단절되어 있는 사람은 − 인류보다 한발 앞서 있든 그로부터 소외되었든 간에 − 종종 영혼이 극지방의 얼어붙은 고독에 다다른 듯 떨리게 하는 도덕적 냉담을 느끼곤 한다. 가엾은 오웬은 예언가, 시인, 개혁가, 범죄자, 혹은 인간적 열망을 지녔으나 유별난 운명으로 인해 세상으로부터 고립된 사람이 느낄 법한 그런 감정을 느끼는 것이었다.

"애니!"

그러한 생각에 오웬이 몹시 창백해져 소리쳤다.

"당신한테는 기꺼이 내가 추구하는 일의 비밀을 말해주겠어요. 당신은 그 가치를 제대로 알아봐줄 테니까요. 그리고 이 가혹한 물질 세계에는 기대할 수 없는 존중심을 가지고 내 이야기를 들어줄 테니까요."

"아무렴, 당연하죠!"

애니 호벤든이 가볍게 웃으며 말했다.

"와서 이 빙글빙글 도는 작은 것이 뭘 뜻하는지 빨리 설명해 줘요. 이렇게나 정교하게 만든 걸 보니 요정 여왕 마브의 장난감 같은데, 봐요! 제가 움직여 볼게요."

"멈춰요! 멈춰!"

오웬이 부르짖었다.

애니는 바늘 끝으로 지금까지 여러 번 언급한 그 복잡한 기계 장치의 미세한 부분을 최대한 살짝 건드려 보았다. 그러자 예술가는 그녀가 외마디 비명을 지를 정도로 손목을 힘껏 붙잡는 것이었다. 애니는 그의 얼굴에 꿈틀거리는 격한 분노와 고통의 경련을 보며 공포를 느꼈다. 곧이어 예술가는 두 손에 얼굴을 파묻었다.

"가요, 애니."

그가 중얼거렸다.

"나는 스스로를 속였으니 괴로워 마땅해요. 나는 공감받기를 갈망했고, 당신이 그래줄 것이라 생각하고 상상하고 꿈꿨었죠. 하지만 당신에게는 내 비밀 세계에 발을 들일 수 있는 부적이 없어요. 그 손길 하나로 몇 달 간의 고생과 일생에 걸친 심사숙고가 수포로 돌아갔다구요. 애니, 당신의 잘못은 아니지만 당신은 나를 파멸시켰어요!"

가엾은 오웬 월랜드! 그는 실수를 저지르긴 했지만 그것은 이해 가능한 것이었다. 오웬의 눈에 신성하게 비치는 그 과정을 충분히 존중할 수 있는 영혼을 가진 인간이 있다면 그것은 여성일 것이기 때문이었다. 만일 사랑의 깊은 지혜에 계몽되었더라면 애니 호벤든이라 해도 그처럼 그를 실망시키지는 않았을 것이다.

예술가는 사실상 그가 세상의 관점에서 쓸모없으며 불행하게 살 운명이라고 생각해온 사람들을 만족시켜 주듯 그해 겨울을 내내 방탕하게 보냈다. 친척의 죽음으로 작은 유산을 받게 되어 고생스레 일할 필요가 없어지고, 원대한 − 적어도 그에게는 − 목표의 끈질긴 영향력에서 벗어나면서, 그는 자신의 연약한 체구로는 못할 거라고 여겨졌을 그런 습관들에 스스로를 내맡겼던 것이다. 하지만 천재의 경우 영적인 영역이 흐트러지면 세속적 영역의 힘이 더욱 걷잡을 수 없이 발휘되는데, 그것은 다른 방식으로 균형이 조절되는 열등한 인격과는 달리 신이 정교하게 맞춰놓은 그의 인격의 균형이 깨지기 때문이었다. 오웬 월랜드는 방탕함 속에서도 어떤 행복이든 찾을 수 있는지를 시험해보았다. 그는 황금빛 와인을 통해 세상을 보았으며, 유리잔 가장자리에서 거품처럼 명랑하게 일어나 허공을 즐거운 광란으로 가득 채우다가 이내 희미해지고 쓸쓸해지는 환영들을 바라보았다. 이렇듯 우울하고 불가피한 변화가 일어나도, 그리고 그 환상이 삶을 어둠으로 뒤덮고 자신을 비웃는 망령들로 그 어둠을 가득 채울지라도 이 젊은이는 황홀경의 컵을 계속해서 들이켰을 것이다. 그의 영혼은 일종의 역정을 느꼈는데, 그것은 현실이자 예술가가 그 순간 느끼는 가장 깊은 감정이어서 와인에 취해 생기는 환상적인 고통과 공포보다도 더욱 견디기 힘든 것이었다. 술에 취했을 때는 근심 속에서도 그 모든 것이 단지 환상임을 떠올릴 수 있었지만, 그러한 역정의 상태에서는 무거운 고통이 곧 현실이었기 때문이다.

이렇듯 위태로운 상태에서 그를 구해낸 것은 한 사건이었다. 여러 사람이 그 사건을 목격했지만 가장 영리한 사람조차 그것이 오웬 월랜드의 마음에 어떻게 작용했는지 설명하거나 헤아릴 수는 없었다. 그 사건은 매우 단순한 것이었다. 어느 따뜻한 봄날의 오후 예술가가 술잔을 앞에 두고 떠들썩한 술친구들 사이에 앉아있을 때, 근사한 나비 한 마리가 열린 창을 통해 들어오더니 그의 머리 주위를 훨훨 날아다녔다.

"아!"

술에 한껏 취한 오웬이 탄성을 질렀다.

"드디어 우울한 겨울잠에서 깨어나 되살아났느냐. 태양의 자식이여, 여름 산들바람의 놀이 동무여! 그렇다면 나도 일할 때가 되었군."

아직 덜 비운 잔을 탁자 위에 남겨둔 채 그는 자리를 떴고, 그 후 다시는 술 한 방울도 마시는 모습을 볼 수 없었다.

이제 그는 다시 숲과 들판을 방랑하기 시작하였다. 상상하건대 오웬이 천박한 술꾼들 사이에 앉아있을 때 마치 영혼처럼 창 안으로 날아든 그 빛나는 나비는, 실로 그를 속세 가운데서 신성하게 만들었던 그 순수하고 이상적인 삶을 다시금 일깨우는 사명을 부여받은 정령이었던 것이다. 또한 상상하건대 오웬은 그러한 정령이 자주 출몰하는 양지바른 곳에 나아가 그것을 찾으려 했던 것이다. 왜냐하면 여전히 지난 여름처럼 나비가 내려앉는 곳이면 슬그머니 다가가서 그것을 관찰하느라 여념이 없는 그의 모습이 눈에 띄었기 때문이다. 나비가 날면 그것이 공중에 그리는 흔적이 마치 천국으로 향하는 길을 보여주기라도 하듯 그의 눈은 나비의 날갯짓을 좇았다. 하지만 때아니게 다시 시작된 노동의 목적은 도대체 무엇이었을까? 야경꾼은 오웬 월랜드의 가게 덧문 틈으로 비치는 램프 불빛을 통해 그 일이 재개되었음을 알았다. 마을 사람들은 그의 모든 기행(奇行)을 아울러서 하나로 해석했다. 오웬 월랜드는 미쳐버린 것이다! 세상의 가장 평범한 시야 너머에 있는 그 무엇이든지 설명할 수 있는 이 손쉬운 방법은 얼마나 보편적으로 효과가 있는지 ― 또 편협함과 둔감함에 손상된 감수성의 소유자에게 얼마나 만족스럽고 위안이 되는지! 성 바울의 시대부터 우리의 가없은 미의 예술가의 시대에 이르기까지, 너무나 현명하거나 훌륭하게 말하고 행동하는 사람들의 언행 속 모든 비밀을 밝히는 데에 그와 같은 부적이 사용되었던 것이다. 오웬 월랜드의 경우 마을 사람들의 그러한 판단은 옳았을 수도 있다. 아마 그는 미쳤는지도 모른다. 공감의 부족 − 규범을 벗어던지는 그와 마을 사람들 간의 뚜렷한 대비 − 은 그를 미치게 하기에 충분했다. 혹은 평범한 햇살과 뒤섞인 천상의 빛을 너무 많이 쐰 나머지 세속적 의미의 혼란에 빠진 것인지도 몰랐다.

　어느 저녁, 예술가는 평소처럼 밖을 거닐다 돌아왔다. 그토록 자주 끊겼지만 마치 그의 운명이 기계 속에 깃들어있는 듯 다시 시작된 그 작업의 정교한 작품에 오웬이 막 램프의 불빛을 비추었을 때, 피터 호벤든이 방문하여 그는 깜짝 놀랐다. 노인을 볼 때마다 오웬은 항상 심장이 움츠러들었다. 눈에 보이는 것은 너무나 명백하게 보고, 볼 수 없는 것은 너무나 완고하게 불신하는 그의 예리한 분별력 때문에 그는 오웬에게 있어 세상에서 가장 끔찍한 존재였던 것이다. 하지만 이번에 늙은 시계 제조공은 몇 마디 친절한 말을 건네고자 온 것이었다.

　"오웬, 내일 밤 우리 집에서 꼭 볼 일이 있네."

　그가 말하자, 예술가는 핑계를 웅얼거리기 시작했다.

　"오, 하지만 꼭 와야 하네."

　피터 호벤든이 말했다.

　"자네가 우리 식구처럼 지내던 때를 생각해서라도 말일세. 아니, 혹시 자네 내 딸 애니가 로버트 댄포스와 약혼한 것을 모르는가? 간단히 경사를 축하하는 자리를 만들려는 것이네."

작은 외마디 말이 오웬이 낸 소리의 전부였을 뿐이다. 피터 호벤든과 같은 사람의 귀에는 냉담하고 태연한 어조였지만, 그 말에는 마치 사람들이 악한 마음을 억누르듯 가엾은 예술가가 억누르고 있던 가슴 속 격한 아우성이 담겨있었다. 그러한 감정은 늙은 시계 제조공이 알아채지 못할 만큼 살짝 새어나오고 말았는데, 일을 시작하려고 들어올린 도구를 또다시 수 개월간 심사숙고와 노력을 기울였던 그 작은 기계 장치 위에 떨어트리고 만 것이었다. 그 한 번의 타격으로 기계는 산산조각이 났다.

모든 방해 요인 중에서도 사랑이라는 것이 그의 손아귀에서 재주를 빼앗으려 끼어들지 않았더라면, 오웬 월랜드의 이야기는 미를 창조하려는 이들의 힘겨운 삶을 표현하는 그럴듯한 상징이 될 수 없었을 것이다. 겉으로 그는 열렬하거나 적극적인 연인이 아니었다. 목표를 향한 그의 열정적 삶이 감정의 격동과 기복을 상상의 세계 속에 철저히 가둬두는 바람에, 애니조차도 여자의 평범한 직감보다 조금 더 그것을 느끼는 정도였다. 하지만 오웬에게 있어 그 사랑은 자신의 모든 삶을 뒤덮고 있었다. 애니가 자신에게 깊이 공감할 수 없음을 보여줬던 사실을 잊은 채, 그는 모든 예술적 성공의 꿈을 애니의 이미지와 줄곧 연결지어온 것이었다. 그녀는 오웬이 숭배하는, 그리고 그 제단에 가치 있는 제물만을 바치기를 희망하는 영혼의 힘을 보여주는 헌신이었다. 물론 그는 자신을 속였다. 애니 호벤든에게는 그가 상상 속에서 부여했던 그러한 자질들이 없었던 것이다. 그의 내적 환상 속 그녀의 모습은 마치 그 신비한 기계 조각이 실제로 만들어질 경우 그렇듯 그가 창조해낸 것에 불과했다. 그가 사랑에 성공하여 자신이 착각했음을 깨달았더라면 - 애니를 품에 안는 데 성공하여 그녀가 천사에서 평범한 여인으로 시들어가는 것을 목격했더라면 - 그 실망감은 그로 하여금 자신에게 남은 유일한 목표에 힘을 쏟게 했을 것이다. 반면 애니에게서 자신이 상상하던 모습을 찾았더라면, 그의 운명은 아름다움으로 가득 차서 그러한 풍요만으로도 지금까지 노력해온 것보다 더 가치 있는 여러 형태의 아름다움을 창조해냈을 것이다. 하지만 그에게 위장한 채 찾아온 슬픔의 상황, 즉 자신의 인생의 천사가 그녀의 도움을 필요로 하거나 소중히 여기지도 않는 흙과 쇳덩이로 된 저속한 사나이에게 채여 갔다는 느낌 - 그것은 인간의 삶이 어떠한 희망 혹은 두려움의 장면이 되기에는 너무도 부조리하고 모순적으로 보이게 하는 운명의 얄궂은 장난이었던 것이다. 오웬 월랜드는 마치 넋이 나간 사람처럼 주저앉아 있을 수밖에 없었다.

그는 발작적인 병을 앓았다. 회복한 후 그의 작고 홀쭉한 몸뚱이에는 살이 올라 그 어느 때보다도 둔하게 보였다. 그의 야윈 뺨은 둥그레졌고, 요정의 일을 완수하도록 영적으로 빚어진 그의 작고 섬세한 손은 자라나는 아기의 손보다 더 포동포동해졌다. 그의 모습은 어린아이 같아서, 낯선 사람이 머리를 쓰다듬어 주려다 말고 이 아이의 정체가 무엇일지 의아해할 것만 같았다. 마치 영혼은 빠져나가 버리고 남은 몸뚱이만이 식물처럼 무럭무럭 자라는 듯했다. 그렇다고 오웬 월랜드가 바보가 된 것은 아니었다. 그는 이성적으로 말할 수 있었던 것이다.

심지어 사람들은 자즘 그를 수다쟁이 정도로 생각하기 시작했는데, 그가 책에서 읽고 기막히다고 느낀 기계의 경이로운 이야기들을 걸핏하면 질릴 정도로 늘어놓았기 때문이었다. 개중에는 알베르투스 마그누스가 만든 '놋쇠 인간'과 수도사 베이컨의 '황동 머리', 후대에 들어서는 프랑스 왕세자를 위해 만들어졌다는 작은 마차와 말들로 이루어진 자동 장치와 마치 파리처럼 귓가에서 윙윙거리지만 실은 작은 용수철로 만들어진 곤충에 관한 이야기도 있었다. 또한 뒤뚱거리고 꽥꽥대며 먹이도 먹는 오리에 관한 이야기도 있었는데, 만약 어떤 순진한 사람이 저녁거리로 그것을 구입했더라면 오리 모양의 기계의 환영에 속았음을 알게 될 것이었다.

"하지만 이제는 이 모든 게 그저 속임수였음을 알지요."

오웬 월랜드가 말했다.

그러고 나서 그는 묘한 태도로 한때는 다르게 생각한 적도 있었다고 고백하는 것이었다. 한가하게 몽상에 빠져 있던 시절, 그는 기계에 영혼을 불어넣고 그에 따라 생겨난 새로운 종류의 생명과 움직임을, 대자연이 자신의 모든 창조물에 의도했지만 실현하려고 애쓰지는 않는 그러한 이상향에 가까운 아름다움과 결합하는 게 어느 정도 가능하다고 생각했었다. 하지만 그는 그러한 목적을 달성하는 과정이나 계획 자체에 대해 어떠한 명확한 인식도 없어 보였다.

"그런 생각 따위는 이제 집어치웠어요."

그는 그렇게 말하곤 했다.

"젊은이들은 항상 그런 꿈으로 스스로를 현혹시키죠. 이제 저도 조금은 분별력이 생겨서 그런 생각을 하는 것조차 우스워요."

타락해 버린 가엾은 오웬 월랜드! 이러한 증상들은 우리 주변에 있으나 보이지는 않는 더 나은 세계에 더 이상 그가 거주하지 않음을 보여주는 것이었다. 그는 보이지 않는 것에 대한 믿음을 잃었고, 불운한 사람들이 그렇듯 눈으로 볼 수 있는 많은 것들조차 거부하는 지혜를 스스로 자랑스러워했으며, 손으로 만질 수 있는 것들만을 철저히 신뢰하는 것이었다. 이것은 영혼의 영역이 죽어버리고 보다 열등한 분별력만이 인식할 수 있는 것들에 점차 동화되어 가는 인간에게 주어진 재앙이었다. 하지만 오웬 월랜드의 경우는 영혼이 죽거나 사라진 것이 아니라 단지 잠들어있을 뿐이었다.

그 영혼이 어떻게 다시 깨어났는지는 알려진 바 없다. 아마 발작적인 고통에 의해 그 무기력한 수면 상태에서 깨어났을 수도 있고, 저번처럼 나비가 날아와 그의 머리 주변을 맴돌며 이전의 삶의 목적을 다시 일깨웠을 수도 있다 ― 실로 이 햇빛의 피조물은 항상 예술가를 위한 신비로운 임무를 띠고 있었기 때문이다. 그의 혈관을 다시 끓게 한 것이 고통이었든 행복이었든 간에, 그가 처음으로 느낀 충동은 자신을 오래전의 그 사고력과 상상력, 그리고 가장 예민한 감수성을 지닌 인간으로 다시 만들어준 것에 대해 하늘에 감사하는 것이었다.

"지금처럼 내 임무에 강렬한 의지를 느껴본 적은 없어."

그가 말했다.

하지만 스스로 강해졌다고 느낀 만큼, 일하던 중에 갑자기 죽음이 찾아올지도 모른다는 불안 때문에 그는 더욱 부지런히 일에 열중하지 않을 수 없었다. 이러한 불안은 아마 스스로 생각하기에 아주 높은 무언가에 마음을 두고 그것을 성취할 때만 비로소 삶이 의미 있어지는 모든 인간들이 공통적으로 느끼는 감정일 것이다. 인생을 그 자체로 사랑하는 한 우리는 인생을 잃는 것을 그다지 두려워하지 않는다. 반면 어떤 목표를 성취하기 위해 삶을 갈구할 때 우리는 삶의 연약한 질감을 비로소 실감하게 되는 것이다. 그러나 하늘에서 우리를 적임자로 지정한 듯한, 그리고 만약 성취하지 못한다면 세상이 애통해할만한 그런 임무에 전념하는 동안은 그러한 불안과 함께 죽음의 화살도 우리를 뚫을 수 없다는 필사의 신뢰 또한 느끼게 된다. 인류를 뒤바꿀 아이디어에의 영감으로 부푼 철학자는, 자신이 계몽의 말을 꺼내려고 숨을 모으는 순간 죽음이 그의 중요한 삶을 앗아가리라는 것을 믿을 수 있을까? 만약 그렇게 그가 사라진다면, 이미 언급되었어야 할 진리를 다른 현자가 밝혀낼 때까지 또다시 지루한 세월이 흘러야 할 것이다 — 세상 모든 삶의 모래 알갱이가 한 알 한 알씩 떨어지듯이 말이다. 하지만 어느 시기든지 인간의 형상을 한 가장 고귀한 영혼이, 인간의 판단으로 보았을 때 자신의 사명을 이 땅에 실현할 여지조차 주어지지 않은 채 때아닌 죽음을 맞은 역사적 선례가 많다. 예언자는 죽고, 무딘 심장과 굼뜬 뇌를 가진 인간만이 살아남는 것이다. 시인은 자신의 노래를 미처 끝내지 못하거나, 인간의 귀에는 들리지 않는 천국의 합창을 통해서야 완성한다. 화가는 — 앨스턴이 그랬듯 — 자신이 구상한 바의 절반만을 화폭에 옮겨 그 불완전한 아름다움으로써 우리를 슬프게 하며, 이렇게 말하는 게 불경스럽지 않다면, 천상의 색채로써 비로소 그림을 완성하려 하는 것이다. 하지만 이번 생에 완성되지 못한 그러한 구상들은 어디에서도 완벽해질 수 없으리라. 이렇듯 인류의 가장 고귀한 계획들이 너무나 자주 실패하는 것은, 지상의 행위가 아무리 신성이나 천재성을 통해 영적으로 승화되더라도 결국은 영혼을 단련하거나 현실화하는 수단으로서만 가치가 있다는 증거로 받아들여야 할 것이다. 천상의 모든 평범한 생각들조차 밀튼의 노래보다 더 숭고하고 아름답다면, 현세에서 끝내지 못한 선율에 그가 굳이 또 다른 절을 보태려고 할 것인가?

오웬 월랜드의 이야기로 다시 돌아가보자. 좋든 나쁘든 삶의 목적을 달성하는 것은 그에게 이제 숙명이었다. 장기간의 치열한 생각과 열정적인 노력, 정교한 노동, 소모적인 걱정과 그에 뒤따르는 고독한 승리의 순간, 이 모든 것은 상상에 맡기고 넘어가도록 하자. 그리고 어느 겨울 저녁, 로버트 댄포스의 난롯가에 방문하려는 예술가를 보자. 그곳에서 그는 몸집이 거대한 강철의 사나이가 가정의 영향을 받아 매우 온화하고 부드러워진 것을 볼 수 있었다. 애니 또한 이제 주부가 되어 남편의 그 단순하고 억센 성질을 닮아 있었다. 하지만 한편으로 오웬 월랜드가 아직 믿고 있듯, 그녀에게는 한층 세련된 우아함이 깃들어 있어 여전히 힘과 아름다움 사이를 통역할 수 있는 것처럼 보였다. 이 날 저녁에는 늙은 피터 호벤든도 딸의 집에 손님으로 와 있었는데, 아직도 기억에 생생한 그의 날카롭고 차가운 비판의 표정이 예술가가 맞닥뜨린 첫 모습이었다.

"나의 옛 친구 오웬!"

로버트 댄포스가 벌떡 일어나서는 쇠막대를 쥐는 데 익숙한 손으로 예술가의 가냘픈 손가락을 짓누르며 소리쳤다.

"드디어 우리를 찾아주다니 이렇게 친절하고 정다울 데가. 나는 자네가 영속적인 운동법인지 뭔지에 홀려서 옛 추억을 까맣게 잊은 건 아닌가 걱정했다네."

"반가워요,"

애니가 주부가 다 된 얼굴을 붉히며 말했다.

"이렇게 오랜만에 찾아오시다니 옛 친구답지 않군요."

"오웬, 자네의 그 아름다움이라는 것은 어떻게 되어가고 있나? 결국 만들어냈는가?"

늙은 시계 제조공은 첫 마디로 그러한 질문을 건넸다.

그러나 예술가는 바로 대답할 수 없었다. 뜻밖에 양탄자 위에서 뒹굴거리고 있는 튼튼한 어린 아기를 발견하고 깜짝 놀랐기 때문이었다. 무한으로부터 신비스럽게 등장한 이 어린 존재는 땅의 가장 농밀한 물질로써 빚어진 듯 건장하고 실재적인 신체 구조를 갖고 있었다. 낯선 손님을 향해 기어오던 이 전도유망한 아이는, 로버트 댄포스의 표현에 의하면 자세를 똑바로 곧추세우고 아주 똑똑한 표정으로 오웬을 쳐다보았다. 그 모습을 본 어머니는 자랑스럽다는 듯 남편과 눈짓을 주고받았지만, 예술가는 왠지 마음이 불편해졌다. 아이의 표정이 평소 피터 호벤든의 표정과 닮은 느낌이 들었기 때문이었다. 마치 늙은 시계 제조공이 아기의 형상으로 줄어들어 아기의 눈으로 자신을 바라보면서 방금과 같은 악의적인 질문을 반복하는 착각이 들 정도였다.

"그 아름다움 말일세, 오웬! 어떻게 되어가고 있나? 만드는 데 성공했는가?"

"성공했습니다."

순간적인 승리의 눈빛과 햇살 같은 미소에도 불구하고 여전히 깊은 생각에 잠겨 슬퍼 보이는 예술가가 대답했다.

"그래요, 여러분. 사실입니다. 저는 성공했어요."

"드디어 해냈군요!"

처녀 때의 명랑한 모습으로 애니가 소리쳤다.

"그럼 이제는 그 비밀이 뭔지 물어봐도 괜찮나요?"

"물론이죠. 그걸 밝히려고 여기 온 것입니다."

오웬 월랜드가 대답했다.

"당신도 그 비밀을 아는 것은 물론, 보고 만지고 심지어 가지게 될 거예요. 왜냐면 애니 – 아직도 옛 친구의 이름으로 부를 수 있다면요 – 당신에게 결혼 선물로 주기 위해 이 영적인 기계, 조화로운 동체이자 아름다움의 신비를 만들었기 때문입니다. 선물이 늦은 것은 사실이지만, 살면서 점차 사물의 빛이 생기를 잃고 우리의 영혼이 섬세한 지각을 잃어가기 시작할 때야말로 아름다움의 영혼이 가장 필요할 때죠. 용서해요 애니, 하지만 당신이 이 선물을 가치 있게 여길 수만 있다면 너무 늦은 건 아닐 겁니다."

그렇게 말하면서 그는 보석함 같은 것을 꺼냈다. 그가 직접 흑단으로 화려하게 조각한 보석함에는, 어딘가에서 날개 달린 영혼이 되어 하늘로 날아가는 나비와 그것을 쫓는 한 소년의 모습이 환상적인 진주

세공으로 아로새겨져 있었다. 그 소년 혹은 젊은이는 아름다움을 얻으려는 강렬한 욕망으로 땅에서 구름, 구름에서 천상의 대기를 향해 오르고 있었다. 예술가는 이 흑단의 상자를 열어 애니에게 가장자리에 손가락을 얹어보라고 했다. 애니가 그렇게 하자, 갑자기 나비가 펄럭이며 튀어나와 그녀의 손가락 끝에 앉더니 마치 날 준비를 하듯 보라색과 금색 점이 박힌 아름다운 날개를 퍼덕이는 바람에 그녀는 놀라 소리를 지를 뻔했다. 그 물건의 아름다움에 녹아든 광명과 화려함, 섬세한 멋은 이루 말할 수 없었다. 자연의 이상적인 나비가 여기에 완벽히 구현된 것이었다. 땅에 핀 꽃들 사이를 날아다니는 빛바랜 곤충이 아닌, 천국의 들판을 맴돌며 아기 천사와 죽은 아이의 영혼들과 즐겁게 노니는 그런 나비의 모습이었다. 또한 날개에는 풍성한 잔털들이 보였으며 눈빛은 영혼으로 넘쳤다. 촛불이 그 경이로운 물건을 비추어 그 주위로 불빛이 가물거렸지만 그것은 분명 스스로의 광채로 반짝이는 듯 보였으며, 마치 귀한 보석처럼 하얀 빛으로 자신이 앉은 손가락과 쭉 뻗은 손을 비추었다. 그 완벽한 아름다움 때문에 크기에 대한 관념은 완전히 잊히고 말았다. 설사 날개가 하늘까지 뻗쳤다 해도 그 이상 마음이 가득 차거나 만족스럽지는 않았을 것이다.

"아름다워요! 아름다워!"

애니가 감탄했다.

"이게 살아있나요? 살아있어요?"

"살아있냐고? 당연히 그렇겠지."

남편이 대답했다.

"나비를 만들 만한 기술을 가진 사람이 이 세상에 있다고 생각하오? 그렇다 해도 여름날 오후면 어린애도 스무 마리씩 잡는 나비를 굳이 힘들여 만들 사람이 어디 있겠소? 살아있냐고? 그렇겠지! 하지만 이 예쁜 상자만은 의심의 여지 없이 우리 오웬의 작품일 것이오. 이것이 진정 그의 체면을 세워주는구려."

그 순간 나비가 정말 살아있는 듯이 날개를 다시 퍼덕이는 바람에 애니는 깜짝 놀라는 한편 두려움마저 들었다. 왜냐하면 남편의 의견에도 불구하고 그것이 진짜 살아있는 생명체인지 놀라운 기계 작품인지 확신할 수 없었기 때문이다.

"살아있는 건가요?"

그녀가 여느 때보다도 열의에 차서 다시 물었다.

"직접 판단해 봐요."

그녀의 얼굴을 주의 깊게 바라보며 서 있던 오웬 월랜드가 말했다.

나비는 이제 공중으로 날아가 애니의 머리 주위를 파닥이다가 응접실 먼 곳으로 솟아올랐는데, 날갯짓이 일으키는 반짝이는 빛에 싸여 멀리서도 여전히 눈에 띄었다. 바닥에 있던 아기가 작고 영리한 눈으로 나비의 동선을 좇았다. 방을 날아다니던 나비는 나선 모양을 그리며 돌아와 애니의 손가락에 다시 앉았다.

"근데 이게 살아있나요?"

그녀가 다시 소리쳤다. 그 화려한 신비로운 것이 앉아있는 손가락이 너무 떨린 나머지 나비는 날개로 균형을 잡아야만 했다.

"살아있는 건지, 당신이 만든 건지 말해줘요."

"아름답다면 누가 만들었는지 굳이 왜 물어보나요?"

오웬 윌랜드가 대답했다.

"살아있냐고요? 그래요, 애니. 그것은 나 자신을 흡수했기 때문에 생명을 가졌다고 할 수 있어요. 게다가 나비의 그 비밀과 아름다움 ─ 단순히 겉모양뿐 아니라 전체 구조 깊숙이 ─ 에는 미의 예술가의 지성과 상상력, 감수성, 그리고 영혼이 드러나 있죠. 그래요, 내가 만들었어요. 하지만,"

이때 오웬의 표정이 살짝 변했다.

"지금의 나한테 이 나비는 내 젊은 날의 공상 속에서 아득히 지켜보던 그때의 나비와는 달라요."

"그것이 뭐든 간에 예쁜 장난감에 불과하오."

대장장이가 아이같이 즐거운 미소를 띠며 말했다.

"저것이 과연 나처럼 크고 투박한 손가락에 앉아줄지 모르겠소. 이리 줘봐요, 애니."

예술가의 지시에 따라 애니는 손가락 끝을 남편의 손가락 끝과 맞대었다. 그러자 나비는 잠시 멈칫하더니 남편의 손가락으로 날아앉았고, 첫 번째 시도 때와 비슷하지만 정확히 같지는 않은 날갯짓으로 두 번째 비행을 준비했다. 그러고는 대장장이의 튼튼한 손가락에서 점점 커지는 곡선을 그리며 천장으로 날아오르더니, 방을 크게 한 바퀴 빙 돌고는 물결처럼 굽이치며 출발했던 곳으로 되돌아오는 것이었다.

"음, 그 어떤 진짜보다도 더 낫군!"

자신이 표현할 수 있는 가장 진심 어린 찬사를 건네며 로버트 댄포스가 소리쳤다. 사실 말을 더 잘하고 더 나은 지각을 가진 사람이라도 그 이상 할 말이 없었을 것이다.

"솔직히 말하자면 내 상상을 넘어서는군. 하지만 그래서? 우리 오웬이 이 나비에 쏟아부은 오 년 동안의 노동보다도 내가 내리찍는 쇠망치 한 방이 더 쓸모 있지 않은가 말이야."

그때 아기가 손뼉을 치면서 큰 소리로 알 수 없는 옹알이를 중얼거렸는데, 아마도 나비를 장난감으로 달라는 것 같았다.

그동안 오웬 월랜드는 애니를 곁눈질하며, 아름다움과 실용성의 상대적인 가치에 대한 남편의 평가에 그녀가 공감하는지 어떤지를 알아내려 했다. 하지만 오웬에 대한 친절과, 그가 직접 만든 훌륭한 작품이자 상상의 구현물을 보며 느끼는 그 모든 놀라움과 감탄 속에서도 그녀에게는 비밀스러운 경멸이 숨어있었다 — 너무 비밀스러운 나머지 어쩌면 그녀 스스로도 모르며 오직 예술가의 직관적인 분별로만 감지할 수 있는 듯했다.

하지만 오웬은 그러한 발견이 고통스럽게 느껴지는 단계를 이미 벗어나 꿈을 추구하는 막바지 단계에 이르러 있었다. 그는 세상과 그 세상을 대표하는 애니가 어떤 찬사를 바치더라도, 하찮은 물질로 고상한 덕을 상징해 내고 — 세속적인 것을 영적인 황금으로 바꾸어 내고 — 마침내는 아름다움을 작품으로 구현해 낸 예술가에게 완벽한 보상이 될 만큼 적절한 말을 하거나 적절한 감정을 느낄 수 없다는 것을 알았다. 모든 고귀한 노동이 그 자체에서 보상을 찾지 못하면 의미가 없다는 사실을 지금 이 순간에 와서야 깨달은 것은 아니었다. 하지만 애니와 남편, 그리고 피터 호벤든까지도 충분히 이해할 만한, 그리고 수 년간의 수고가 가치 있었다는 것을 인정할 만한 근거가 없는 것도 아니었다. 오웬 월랜드는 이 나비이자 장난감이자 가난한 시계 제조공이 대장장이의 아내에게 바치는 결혼 선물이, 사실은 한 군주가 명예와 수많은 재물을 바쳐 손에 넣고 왕국의 많은 보석들 중에 가장 진기하고 경이로운 것으로 애지중지했을 만한 예술의 보배라고 그들에게 말해 줄 수도 있었다. 하지만 예술가는 그저 웃으며 그 비밀을 속에 간직할 뿐이었다.

"아버지, 여기 오셔서 이 어여쁜 나비 좀 보세요."

늙은 시계 제조공의 칭찬 한마디가 옛 제자를 기쁘게 해주리라 생각하며 애니가 말했다.

"한번 보자꾸나,"

피터 호벤든은 사람들이 자신처럼 물질적인 실체 이외의 것은 모두 의심하게 만드는 그런 조소를 띤 채 의자에서 일어서며 말했다.

"자, 내 손가락에 앉게 해보거라. 한번 만져보면 더 잘 알 수 있을 테니."

하지만 나비가 아직 앉아있는 남편의 손가락이 아버지의 손가락과 맞닿자, 그것이 날개를 축 늘어뜨리고 바닥으로 떨어지려고 하는 바람에 애니는 놀라지 않을 수 없었다. 심지어 그녀가 잘못 본 게 아니라면, 나비 날개와 몸통 위의 밝은 금빛 점들이 점차 흐려지고 빛나던 보랏빛은 어두워졌으며, 대장장이의 손 주위로 비치던 별빛 같은 광채도 점차 희미해지더니 사라져 버리는 것이었다.

"나비가 죽어 가요! 죽어 간다구요!"

애니가 놀라 소리쳤다.

"이 나비는 정교하게 만들어졌습니다."

예술가가 차분하게 말했다.

"내가 말한 대로 저 나비는 영적인 정수를 흡수했어요 ─ 그것을 자기성(磁氣性)으로 부르든 뭐로 부르든 간에요. 나비의 예민한 감수성은, 그것에 자신의 삶을 불어넣은 사람의 영혼과 마찬가지로 의심과 조롱의 분위기 속에서 고통스러워합니다. 이미 저 나비는 아름다움을 잃었어요. 얼마 못 가 기계가 돌이킬 수 없을 만큼 손상되고 말 겁니다."

"손을 떼세요, 아버지!"

애니가 창백해져서 애원했다.

"여기 우리 아이가 있잖아요. 아이의 순수한 손에 앉게 해보세요. 아마 거기서는 생명이 되살아나고 색도 어느 때보다 밝아질 거예요."

그녀의 아버지는 쓴웃음을 지으며 손가락을 거두었다. 그러자 나비는 스스로 움직일 힘을 회복하는 듯 보였고 색깔도 제법 원래의 광채를 되찾았으며, 가장 영적인 특징인 그 별빛 같은 반짝임 또한 그것의 주위에 다시 후광을 비추는 것이었다. 처음에 나비가 로버트 댄포스의 손에서 아기의 작은 손가락으로 옮겨 앉았을 때는 그 광채가 너무 강해져서 아기의 그림자를 벽에 선명하게 드리울 정도였다. 그 와중에 아기는 아빠와 엄마가 하는 것을 본 대로 포동포동한 손을 뻗고는 곤충의 날갯짓을 바라보며 천진난만하게 즐거워했다. 그렇지만 오웬 월랜드는 아이의 어떤 약삭빠른 기묘한 표정에서, 철저한 회의가 유아기적 믿음으로 어느 정도 누그러진 늙은 피터 호벤든의 느낌을 받았다.

"저 장난꾸러기 녀석, 얼마나 똘똘해 보이는지!"

로버트 댄포스가 아내에게 속삭였다.

"아이 얼굴에서 저런 표정은 처음 봐요."

애니가 그 예술적인 나비보다도 자신의 아이에 훨씬 더 감탄하며 말했다. 그녀로서는 그럴 만도 했다.

"사랑스러운 아가는 저것의 비밀을 우리보다 더 잘 알겠죠."

나비는 그 예술가처럼 아이의 본성에서 썩 맞지 않는 무언가를 의식한 듯이 가물거렸다. 한참 후 나비는 저절로 위로 떠오르듯 가벼운 동작으로 아이의 작은 손에서 날아올랐다. 마치 주인의 영혼이 부여한 천상의 본능이 그 아름다운 실물을 자기도 모르게 더 높은 영역으로 이끌어가는 듯했다. 아마 방해물이 없었다면 나비는 하늘로 솟아올라 불멸의 존재가 되었을 것이다. 하지만 천장에 가로막혀 그 광채가 천장을 비추고 날개의 섬세한 피부는 그 속세의 매개물을 스치고 말았던 것이다. 그러자 마치 별가루처럼 반짝이는 불똥 한두 개가 너울너울 떨어지더니 양탄자 위에서 깜박였다. 나비 또한 팔랑이며 내려와서는 아이에게 되돌아가는 대신 예술가의 손 쪽으로 이끌려가는 것이었다.

"안 돼! 안 돼!"

오웬 월랜드가 마치 자신의 작품이 알아듣기라도 하듯 중얼거렸다.

"너는 주인의 가슴을 떠났으니 다시는 돌아올 수 없어."

그러자 나비는 머뭇거리더니 떨리는 빛을 내며 힘겹게 아기에게 다가가 손가락에 앉으려고 했다. 하지만 그것이 아직 허공에 떠있을 때, 이 힘센 작은 아이는 할아버지와 같은 날카롭고 민첩한 표정으로 그 경이로운 곤충을 낚아채더니 손으로 짓눌러버리는 것이었다. 애니는 비명을 질렀고, 늙은 피터 호벤든은 차갑고 경멸 섞인 웃음을 터뜨렸다. 대장장이는 힘주어 아이의 손을 폈고, 그 손바닥 안에서 아름다움의 비밀이 영영 날아가 버린 반짝이는 파편 더미를 발견했다. 오웬 월랜드는 일생의 노동이 담긴 잔해이자 잔해가 아닌 것을 담담하게 바라보았다. 그는 이미 전혀 다른 나비를 잡은 후였던 것이다. 예술가가 아름다움을 얻을 만큼 충분히 높은 경지에 다다랐을 때, 인간의 감각이 그 아름다움을 느낄 수 있도록 창조해 낸 상징물은 그의 눈에 더 이상 쓸모가 없어지는 반면 그의 영혼은 상징물이 아닌 그 자체를 소유함으로써 현실을 향유하게 되는 것이다.

옮긴이의 말

◆

너새니얼 호손에게서 배우는 수용의 미학

우리가 고전을 읽는 이유는 시대를 불문한 삶의 지혜와 통찰이 담겨 있기 때문일 것이다. 본 단편들은 세상의 다원적이고 모순적인 본질과, 그로 인해 역설적으로 우리가 쉽게 빠지는 편협한 흑백논리식 사고의 오류를 예리하고 풍자적으로 보여준다. 너새니얼 호손은 청교도 이주민 가문 출신으로서 일찍이 융통성 없는 종교의 역기능을 목격하였고, 특히 마녀재판에 가담한 선조의 행적으로 평생을 원죄 의식에 시달렸다. 따라서 그의 작품은 피상적이고 경직된 사고에 비판적인 시선을 견지하는 한편, 현실과 이상, 물질과 정신, 운명과 의지 등 서로 대립되는 관념들이 뒤얽힌 모호한 세계의 양상과 그 일환으로 육체에

깃든 영혼으로서 신성과 원죄적 성질을 동시에 지닌 인간의 복잡미묘한 심리를 주로 다루었다.

특히 완벽한 이상을 추구하지만 자연과 본성 앞에 굴복할 수밖에 없는 인간의 숙명을 수용하지 못할 경우 각종 내면의 병리 현상과 비극을 초래할 수 있음을 소설 속 인물들을 통해 보여준다. 가령 독실한 신자였던 굿맨 브라운은 스스로 악마를 찾아갔음에도 자신처럼 그곳에 모인 사람들의 불완전함을 용서하지 못하고 평생을 불신과 우울에 시달린다. 에일머는 '하늘과 지상을 연결하는 끈'인 아내의 반점을 과학으로써 무리하게 제거하려는 강박에 사로잡혀 결국 아내를 죽이고 만다. 웨이크필드는 인간으로서 스스로의 미미한 존재감에 무지한 채 병적인 허영심과 이기주의에 빠져 '우주의 낙오자'가 될 뻔하며, 야망이 큰 손님은 오만한 선민의식으로 현실을 등한시하다 자연 재해 앞에 속수무책으로 무명의 삶을 마감한다. 미의 예술가는 여러 번 현실에 좌절한 끝에 이상을 실현하는 것보다 이상을 추구하는 과정 자체가 유의미함을 깨닫는다.

이러한 소설 속 인물들의 인간적인 결점과 비극은 독자에게 동질감을 불러일으키는데, 가령 웨이크필드의 행적은 '인류의 보편적인 공감에 호소할 만한 일로서 다른 누군가는 그럴 수도 있다고 느끼는 것'이다. 따라서 이 이야기들은 단지 징벌적이거나 교훈적이라기보다 분별적인 판단의 대안으로서 통합적 사고와 인본주의적 사랑의 필요성을 제시한다고 할 수 있다. 특히 사랑은 모든 부족한 것들을 수용하고 아우르는 힘으로서 호손이 비판했던 뒤틀린 광신이 아닌 본래적 의미의 신앙과 맥을 같이한다. 즉, 호손은 우리의 불완전함을 있는 그대로 사랑할 때 비로소 삶이 충만해진다는 소박하지만 강력한 삶의 진리를 제시하고 있는 것이다.